LEILA NAVARRO

VIRAR O JOGO

COMO AGIR NO MUNDO DAS INCERTEZAS

LEILA NAVARRO

VIRAR O JOGO

COMO AGIR NO MUNDO DAS INCERTEZAS

1ª edição

Rio de Janeiro | 2018

CIP-BRASIL. CATALOGAÇÃO NA PUBLICAÇÃO
SINDICATO NACIONAL DOS EDITORES DE LIVROS, RJ

N241v

Navarro, Leila
Virar o jogo : como agir no mundo das incertezas / Leila Navarro.
- 1. ed. - Rio de Janeiro: *BestSeller*, 2018.

ISBN 978-85-465-0117-5

1. Autoajuda. 2. Motivação (Psicologia). I. Título.

18-47676 CDD: 153.8
CDU: 154.947.3

Meri Gleice Rodrigues de Souza - Bibliotecária CRB-7/6439

Texto revisado segundo o novo Acordo Ortográfico da Língua Portuguesa.

Virar o jogo

Design de capa: Leonardo Iaccarino
Diagramação: Ana Dobón

EDITORA BEST SELLER LTDA.
Rua Argentina, 171, parte, São Cristóvão
Rio de Janeiro, RJ - 20921-380

Impresso no Brasil

ISBN 978-85-465-0117-5

"Leila como ninguém sabe virar o jogo e transformar possíveis fracassos em retumbante vitória. Leia este livro e vire o jogo a seu favor."

Daniel Godri, palestrante e escritor

"Atitude é a chave para transformar incertezas em combustível para ganhar o jogo. Leila Navarro, uma mulher de atitude, sempre com garra, determinação, perseverança e humor neste novo livro ensina como virar o jogo a seu favor."

Cesar Souza, presidente do Grupo Empreenda
e autor de *Jogue a seu favor*

"Tsunami. Furacão. Terremoto. Escolha um adjetivo para essa mulher que passa como um trator sobre tudo aquilo que nos mantêm presos à rotina. Essa é Leila Navarro. Depois que ela passa a gente tem de se aprumar e, no processo, questionar: 'E eu achava que era livre!' É isso. Leila instiga a liberdade individual. Existe algo mais necessário que isso?"

Luciano Pires, escritor, cartunista
e personal trainer de fitness intelectual

"Toda vez que me vejo num dilema de como expor alguma coisa mais ousada para público, penso comigo mesma: 'E se fosse com a Leila? Como seria e como ela faria?' Este é o filtro da liberdade, espontaneidade, diversão e expansão! Essa é a Leila, sempre poderosa e abrindo caminho para o empoderamento das mulheres!"

Daniela do Lago, palestrante,
coach de carreira e escritora

"Ai de quem ousar definir Leila Navarro. Por mais completo que deseje ser, jamais cobrirá todas as facetas da sua indecifrável personalidade. Ela é única como amiga, palestrante e empreendedora."

Reinaldo Polito, mestre em ciências da comunicação,
palestrante e escritor

"Leila é o reinventar-se encarnado. Ela é capaz de surpreender os que acreditam conhecê-la e penso que até a ela mesma. Suas habilidades são tão diversas e competentes que virar o jogo sempre foi o combustível de seu enorme sucesso."

Luiz Marins, antropólogo,
palestrante e escritor

"Palestrante mulher de maior prestígio no Brasil, uma pessoa única, memorável, amiga e altamente motivadora. A Leila fala e encanta com aquilo que vive. Não é uma personagem, ela é mesmo um ser iluminado, polêmico, provocador, inspirador. Ter o privilégio de conviver pelos palcos da vida com essa irmã e amiga é uma dádiva. Agradeço demais tê-la conhecido há 15 anos e, de lá para cá, não ter mais ficado longe. Quem conhece a escritora, a palestrante, a artista e, sobretudo, a pessoa mais gente boa do mundo, Leila Navarro, nunca a esquece. Ela muda vidas!"

Marcelo Ortega,
palestrante de vendas e escritor

"Ler Leila em Virar o Jogo *é viver uma experiência. A experiência Leila é sempre transformadora. Por cada lugar por onde passa, cada contato que tem com um ser humano, do mais simples ao mais sofisticado, Leila sempre impacta positivamente. Eu sou um dos milhares de beneficiados por este contato. Há tempos tenho também minha lente filmando sua trajetória de viradas pessoais e reinvenções, coerentes com o que ela prega, onde a ênfase é sempre o protagonismo. Essa é a experiência Leila: despertar o poder que existe dentro de cada um. Uma missão que parece até espiritual de tão forte."*

Irineu Toledo,
radialista, jornalista e palestrante

"Uma linda profissional à frente de seu tempo. Sempre inspirando criatividade, ousadia e poder pessoal. Como ela mesmo diz: 'Permita-se experimentar. Ninguém pode garantir que dará certo, mas, se você errar o alvo, poderá experimentar de novo.' Esse é o espírito do livro Virar o jogo: como agir no mundo das incertezas. *Confiar nos seus instintos, empatizar com clientes e produzir aprendizados e conhecimentos que se transformem em inovações."*

Eduardo Carmello, diretor da Entheusiasmos,
consultor em Talentos Humanos

"Disruptura, emoção, superação e foco são os pilares que sustentam a trajetória desta inabalável mulher do século XXI. Leia com atenção cada parágrafo deste imperdível livro, sua carreira agradecerá."

Claudio Tomanini, palestrante

"Leila Navarro é uma palestrante completa e um exemplo de sucesso com sua carreira vencedora. Este seu novo livro vai transformar de maneira positiva os leitores do Brasil."

Cesar Romão, consultor organizacional,
conferencista, escritor, estrategista empresarial

Sumário

Prefácio

VIRAR O JOGO! Leila virou, nos vira e revira com ela. Você quer virar o jogo na vida, na carreira, nas relações, na empresa, entre pais e filhos, entre amores e paixões? Basta se permitir viajar nas viradas estimulantes, profundas e incomodantes expressas nesta nova obra de Leila Navarro.

Para falar de viradas e superações, a autoridade fundamental é ser um exemplo em si mesmo. Então, com Leila estamos hiperbem representados. Uma mulher que se recriou e exemplifica muito bem a síntese do sentido de superar: "criar valor a partir da sua própria vida, sob quaisquer circunstâncias", como explicitou Makiguti, pedagogo japonês admirável.

E, para mim, superar significa separar sonhos de ilusões. Ilusão se trata do engano do sentido e da mente. E sonho é o desejo virtuoso e ardente. E como separar? Simples. Ilusão é o que a realidade faz com você enquanto você se ilude, e sonho é o que você faz com a realidade enquanto sonha.

A obra *Virar o jogo* tem pérolas geniais para um bom mergulho. Aliás, sobre pérolas, nunca se esqueça que ostras perfeitas não criam pérolas. Somente aquelas que têm algum defeito. Logo, bem-vindos todos à realidade humana. Todos somos imperfeitos, consequentemente, todos podemos desenvolver pérolas perfeitas. O segredo: basta querer muito, ter foco e seguir lições de gente que faz.

Como agir num mundo de incertezas? Coisa genial. E Kahneman, ganhador do Nobel de Economia 2002, já nos alertava: "A economia tem muito mais de sorte e do acaso, do que os economistas gostam de aceitar." Bem-vindos ao planeta Terra.

Leila Navarro ressalta o lado positivo da incerteza. Leia e conclua. Eu agora criei uma visão chamada "o poder do incômodo". E, assim como Leila, atuo com convicção onívora de que nossas grandes oportunidades de crescimento estão na aceitação das incertezas e no enfrentamento dos grandes incômodos.

Os vinte capítulos de *Virar o jogo* se somam e se sinergizam. Ao ler o capítulo "Nós, o animal e o robô", logo me incomodei alegremente com a pergunta: o que vamos fazer nos próximos vinte anos para não sermos substituídos por um robô? E se você tem filhos, pense!

A crise chegou, esse é o seu momento de evoluir. Basta olhar na raiz da palavra crise em grego, "krisis" significa interpretação dos sonhos, elucidação, escolha, muito ao contrário do seu apavorante sentido "crise" em português: angústia, medo, dúvida, perigo.

Leila tem talento explosivo. Talento é a capacidade humana de se dar a experienciar a si mesmo. Ou seja, como os existencialistas Sartre e Camus, e Simone de Beauvoir propunham: mergulhar no mundo para apreender e sair dele com a experiência concreta do viver.

Leila Navarro viaja, conhece culturas e realidades distintas. E ao fazer isso permite que possamos experienciar a partir de suas vivências esses sentimentos. A desconstrução do ter, o caminho se faz ao caminhar e as viradas do jogo também. E, claro, para isso precisamos de coragem. E essa mulher nos encoraja. Precisamos de confiança em nós mesmos, pois sem isso não saberemos cooperar. E sem cooperar não conseguiremos criar. Ela coopera, cria e nos mostra o sucesso a partir desses fundamentos.

Com a criação tocamos e constatamos a consciência. Com ela forte e dominando podemos, então, exigir a conquista. Só teremos conquista expulsando a dúvida anestésica e paralisante do medo. Medo do quê? De si mesmo primeiro, e depois do mundo que nos cerca! Com a conquista, aí aparecem a inteligência de saber corrigir, a autocrítica, e então a formação do caráter.

Quem constrói esse caráter enfrenta e cria seu próprio destino. É possível chegar lá tendo a mudança como fonte inesgotável da juventude. Nada muda se você não mudar. O poder da ressignificação. A Lei Serendipity.

E para virar o jogo, o que é preciso? Ler, reler e sacar as pegadas práticas que Leila Navarro nos mostra. Ela diz que você tem rédeas para iniciar um novo começo. E tem gente que pergunta: "Mas devo reiniciar, começar de novo?" Eu digo: Jamais se acomode na sua camada." E isso serve não apenas para quem vive pressões dolorosas, mas para aqueles que já têm fama, sucesso, riqueza e saúde perfeita. Jamais se acomode nas suas camadas. "Play again". Vamos brincar de novo.

E quando vejo, converso e convivo com Leila, rejuvenesço. Ela faz renascer em mim o "Tejonzinho", aquela criança que fui um dia e que está presente em tudo o que faço hoje. Só que, por vezes, nos esquecemos dessa criança interior. E quando a esquecemos, somos indiferentes para essa energia pura da nossa alma, essa criança chora. Nossa criança interior quando abandonada, sofre e fica à busca de quem a possa adotar, a amar de novo, a beijar, abraçar e, além de tudo, com ela novamente brincar.

Não abandone a sua criança interior. Reviva-a e com ela volte a brincar. "Play again" como diz Leila.

Com este livro, e ao lado da Leila Navarro, eu brinco de viver o tempo todo, alegre e feliz, pois ela é a menina que me faz saltitar, superar e iluminar meu adulto por vezes chato e pessimista. É impossível esquecer de Ariano Suassuna que asseverava: "O otimista é um tolo. O pessimista é um chato. Bom mesmo é ser realista esperançoso". Estou nessa.

Leila, a menina mulher. Um sucesso. *Virar o jogo* com Leila Navarro, um livro além de todas as superações. Coisa de gente. Linda gente Leila Navarro.

José Luiz Tejon
Acadêmico, consultor, conferencista e escritor

Prefácio

CONHECI LEILA NAVARRO EM MEADOS DE 2008. À época, ela fazia um programa na Rádio Mundial, no qual fui um dos entrevistados. A prosa foi tão boa que, mesmo sendo um estranho para ela, recebi um SIM no meu ousado pedido: "Leila, será que você pode me dar algumas dicas? Sou palestrante e adoraria que você visse o que eu faço, como faço, e me desse uma orientação profissional."

No dia e na hora marcados, estava lá. Pronto para receber um feedback como "Uau! Você é uma estrela... que palestrante incrível... o Brasil precisa te conhecer...". Bom, a história não foi bem assim.

Mostrei a ela meu tema, meus slides, minha forma de pensar e, durante uma hora, falei, falei e falei.

Pacientemente, ao final de meu discurso, Leila olhou para mim e disse: "Querido, veja só...."

Foi nesse dia que comecei a entender que, assim como a mãe decifra o jeito do choro da criança, dependendo do tom do "querido" da Leila, é bom você se preparar.

Durante uma hora, fui literalmente massacrado. Ela me mostrou dezenas de erros de estrutura, posicionamento, marca, foco, mensagem etc. Colocou em xeque minhas crenças pessoais, profissionais e, como ela mesma diz, fez com que eu enxergasse em mim o "franguinho" que estava tentando posar de galo. Saí da casa dela desnorteado. Por um lado, querendo me rebelar e jogar tudo aquilo fora. Por outro, decidido a virar o jogo para ter o sucesso que desejava tanto.

Dela veio a ideia — e um caminho estruturado — de percorrer mais de mil quilômetros na Espanha trilhando o Caminho de Santiago de Compostela. Dela veio a inspiração para mudar de tema, mudar de estratégia e criar uma marca única; apenas para citar algumas das várias rupturas de pensamento que tive nos cafés com Leila Navarro.

Hoje, agradeço muito a essa pessoa que chacoalhou a minha vida, e sou muito feliz por ter feito a escolha certa de ser humilde e confiar em quem já tinha percorrido muitas vezes todo aquele caminho que eu estava começando a conhecer.

Ainda continuo um franguinho, mas que certamente entendeu que asas não foram feitas para nos esconder, e sim para voar alto.

À Leila, meu muito obrigado por me inspirar a virar o jogo."

Rafael Baltresca
palestrante motivacional e hipnólogo

A vida é um mar
de oportunidades...
um oceano de possibilidades...
um universo de incertezas!

Introdução

O LADO POSITIVO DA INCERTEZA

Quando nos propomos a entender e a viver os desafios da vida, fica muito mais fácil virar o jogo.
LEILA NAVARRO

SÉCULO XXI. Estamos na iminência da Quarta Revolução, uma economia com forte presença de tecnologias digitais, mobilidade e conectividade de pessoas. Momento de entender que muitas certezas não são tão certas. E no meio dessa polarização de certo e errado torna-se importante desconstruir conhecimentos, regimes de verdades e procedimentos para descobrir outras possibilidades. Nesse cenário, *Virar o jogo: como agir no mundo das incertezas* chega para desvincular a "incerteza" da ideia de insegurança, medo, crise e desamparo.

Para enxergar o lado positivo da incerteza, vamos embarcar em uma aventura. Sabemos mais ou menos o que vai acontecer, mas não temos controle de todos os detalhes. É preciso estar disposto a aprender. Pensando nisso, voltei alguns séculos no tempo. Tanto o descobrimento da América, em 1492, quanto o do Brasil, em 1500, estão ligados à expansão comercial europeia, que aconteceu no fim da Idade Média. Em 1453, os turcos tomaram Constantinopla e bloquearam o comércio entre a Europa e as Índias, que até então era feito pelo mar Mediterrâneo. Isso acelerou a procura de caminhos alternativos aos que vinham sendo trilhados desde a Antiguidade.

O navegador Cristóvão Colombo ainda é considerado um herói, embora seu ato heroico tenha sido fruto de um engano. Ele ignorava a existência do novo continente quando partiu rumo ao oeste em busca de uma nova rota marítima para as Índias. Colombo mirou no que viu e acertou no que nem sabia exatamente o que era.

Os historiadores afirmam que aquele navegador costumava dizer: "Andando mais, mais se sabe." O mundo mudou, mas o conceito de Colombo continua bem atual.

Em abril de 2016, o israelense Uri Levine, criador dos aplicativos Waze e Moovit, aterrissou no aeroporto de Guarulhos pela primeira vez e respirou fundo: para chegar a São Paulo (que fica a uns 30 quilômetros dali), seria necessário enfrentar boas horas do que ele mais abomina: o tráfego intenso de uma metrópole.

Ao entrar no carro, Levine olhou para o painel e a primeira coisa que viu foi o celular do motorista, conectado ao aplicativo que revolucionou a forma de se locomover em qualquer lugar do mundo. "Às vezes até eu mesmo me assusto com o fato de o povo brasileiro usar o Waze!", comentou ele em uma entrevista. Segundo levantamento realizado em maio de 2017, só em São Paulo existem 3,5 milhões de usuários, o que faz dessa cidade a mais conectada do mundo.

Assim como Cristóvão Colombo, Uri Levine mirou em um alvo e alcançou territórios que nem imaginava. A concretização daquilo que já foi uma simples possibilidade hoje faz parte do dia a dia de pessoas do mundo inteiro, reinventando o transporte motorizado como um todo. Especialistas garantem que o Waze se tornará o maior aplicativo de navegação e trânsito do mundo baseado em colaboradores voluntários — será um case global de modelo de negócio com inovação e equilíbrio entre custo e benefício na era digital.

O grande desafio da era moderna é que cada pessoa saiba qual é o seu próprio contexto, tenha em mente onde pretende chegar, mas entenda que existem múltiplos caminhos a serem percorridos. Nem sempre o alvo desejado será atingido, mas a caminhada em si pode se revelar um aprendizado valioso.

A grande questão é: diante do inesperado, da incerteza, do que foge ao controle, como se posicionar? Qual tem sido a atitude das pessoas diante da perda de um emprego, de um sequestro, de um acidente? Em pleno século XXI, o ser humano está preparado emocional e psicologicamente para encarar tristezas e alegrias com o mesmo equilíbrio na área profissional e na vida pessoal? E, o mais importante: como administrar tudo isso e manter a "mente aberta, a coluna ereta e o coração tranquilo", como diz uma canção do compositor Walter Franco?

Longe de mim considerar que este livro poderia ser um guia de "certo" ou "errado" para viradas de jogo na vida de cada leitor. Nada disso. O que me proponho é trilhar com você uma caminhada. Até posso ajudar a definir um ponto de partida, mas não há limite para onde cada um de nós pode chegar.

Já percorri diversas partes do mundo em viagens sabáticas ou dando palestras para pessoas de culturas, condições socioeconômicas, valores, crenças e pensamentos diferentes, e tenho notado que os medos mais recorrentes têm a ver com o futuro, as dúvidas que dominam todos os níveis e segmentos econômicos e sociais.

Nessa era de incertezas, o nosso foco de atenção precisa ser ampliado. As competências que estarão cada vez mais em evidência hoje envolvem questões relacionadas à competência técnica, à capacidade de resolver problemas complexos, à criatividade, à inteligência emocional, à adaptação a mudanças e, somada a tudo isso, a rapidez para virar o jogo e seguir em frente com uma bagagem ainda mais consistente de aprendizado.

Inspirada por tantas histórias de sucesso e pelas experiências pessoais que venho acumulando na vida, aprendi que podemos tirar proveito das situações cujo resultado exato não somos capazes de prever. As incertezas são celeiros de oportunidades. Isso depende apenas da capacidade de exercitar as próprias competências e de ser flexível o suficiente para considerar cada acontecimento um aprendizado.

Para virar o jogo na vida, na carreira, nos negócios e nos diversos níveis de relacionamento não existe uma fórmula mágica — tudo depende de uma soma de fatores. No decorrer da leitura deste livro, a partir de argumentações simples, você poderá ter insights valiosos para impulsionar grandes ideias. Existe um repertório de vida em cada um de nós. Quando bem estimulado, ele pode nos levar a lugares que nunca, jamais, em tempo algum imaginamos. A grande sacada é encarar o lado positivo da incerteza como uma grande aventura. Vamos juntos ver de que forma podemos fazer isso acontecer? Já estou pronta!

Leila Navarro

1

A caminhada da ressignificação

EM 2011 ESTIVE NO BUTÃO, o País do Dragão. Foi um período sabático surpreendente. Estou falando de uma região que fica no topo do mundo, bem pertinho do céu, um verdadeiro reino encantado. Parece outro universo. A região de terreno acidentado e acesso difícil contribuiu para o isolamento do país durante séculos, o que estimulou o povo a preservar a harmonia e suas tradições.

A geografia explica o isolamento da pequena nação com pouco menos de 800 mil habitantes, espremida no Himalaia oriental, entre a Índia e a China. O impacto da paisagem — cercada pela imponência da mais alta cadeia de montanhas do planeta — revela bosques, planícies, florestas subtropicais e rios que serpenteiam os vales. O lugar alia beleza cênica e contrastes que impressionam os olhos e se fixam na memória.

Decidi conhecer o Butão porque ele é considerado o país mais feliz do mundo! Essa informação aguçou a minha curiosidade. Quanto mais eu pesquisava a respeito, mais aumentava o meu desejo de conhecer esse lugar. O Butão é a primeira nação do mundo a pensar na felicidade como um indicador de orientação para políticas públicas: a Felicidade Interna Bruta — FIB.

Sonhei bastante e planejei muito essa viagem. Quando enfim chegou o tão esperado dia, lá fui eu em busca de respostas, como uma estudiosa engajada. Queria descobrir o que realmente é a felicidade e revelar ao mundo como se faz para provocá-la. Foi assim que iniciei uma verdadeira jornada, nesse caso não a de herói. Saberia mais tarde que se tratava de uma trajetória de vida.

Quando cheguei ao Aeroporto de Paro, um dos mais perigosos do mundo, já fiquei impactada. Primeiro porque o local é rodeado de montanhas que atingem 18 mil pés de altura, o que torna cada pouso e decolagem uma verdadeira aventura. Poucos pilotos possuem certificado para operar na região. Passada a emoção, deparei com um outdoor imenso com a imagem de quatro homens: o rei, uma autoridade religiosa do budismo, o primeiro-ministro e o candidato a primeiro-ministro que perdera as eleições mais recentes. Contrariando os valores políticos da maioria dos países, no Butão o candidato que não atingiu o maior número de votos ganha voz ativa no governo. Ele é considerado representante de parte significativa do povo, mesmo sendo a minoria.

O Butão é absolutamente budista e vegetariano. Lá é vetada a matança de animais, inclusive a pesca. A natureza é preservada com amor e respeito. No meu período sabático visitei inúmeros mosteiros. O Butão é a terra dos monges sorridentes.

No extremo do Himalaia o tempo parece não existir. Embora estejam em constante atividade, as pessoas não têm pressa. Elas se mantêm plenamente conscientes de si e de tudo que existe ao seu redor. Exercício bastante complexo para uma sagitariana enlouquecida como eu, acostumada com agitação, correria, pressão!

O lugar é repleto de templos, muitos templos. Mas nenhum é mais sagrado e lendário que o Taktshang Goemba, o Ninho do Tigre — o mais alto monumento sagrado da fé budista. Ele resume a história do povo butanês e foi transformado em santuário, um local de peregrinação, guardando um pouco da história, das lendas e das tradições do país. Como manda a tradição, uma vez por ano todo butanês faz uma incursão a esse local sagrado.

Chegar lá não é fácil, e a altitude é o primeiro fator a ser considerado. O Ninho do Tigre fica incrustado no topo de uma montanha. A 2,4 mil metros de altitude fica a cidade de Paro, rodeada de rochas. Depois, mais 800 metros adiante, trilhados montanha acima, entre ladeiras íngremes e escadarias sem fim, é onde fica o templo.

Olhando de baixo para cima, o primeiro pensamento é quase sempre: como foi possível construir um templo na pontinha da montanha? Mas eu não me contentaria em saber apenas sobre a história do templo e a curiosa peregrinação anual dos butaneses. Eu precisava subir aquela montanha e ver com os próprios olhos, sentir com meus próprios sentidos, cheirar com meu próprio olfato cada pedacinho daquele lugar "entre nuvens". Afinal, se crianças e idosos sobem, eu também conseguiria.

Foi como uma garotinha inocente, feliz e cheia de energia que iniciei minha caminhada. Uma alegria inexplicável invadia meu corpo e alma! Depois de uns 200 metros, a peregrinação começou de verdade para mim. Foi aí que me dei conta do pouco que havia caminhado, do muito que ainda faltava e da minha inseparável bagagem: 30 quilos acima do peso, literalmente obesa, nível "menos zero" de condicionamento físico e muitas interrogações na mente. Logo percebi que essa bagagem seria minha principal oponente nesse desafio.

A peregrinação rumo ao Taktshang Goemba, o Ninho do Tigre, fez minha mente viajar no tempo e no espaço, dentro e fora de mim. Nem sei se houve outro momento na vida em que eu tinha feito tantos questionamentos. Durante o percurso, o abatimento físico crescia na mesma proporção que o desejo de conhecer os mistérios do templo. Os dois pareciam lutadores de MMA dentro de mim. Eu ansiava chegar no alto daquela montanha, mas queria evitar o esgotamento físico e as vozes ameaçadoras dentro de mim. Por que esse povo decidiu fazer um templo em um lugar tão alto, quase pendurado no céu?

Com vinte minutos de caminhada, na verdade quase uma escalada, comecei a ter insights poderosos:

A vida é uma caminhada, mas não é feita só de subidas. Temos diversos trechos em linha reta, descidas, curvas bem acentuadas, outras nem tanto. O mais importante é saber onde se quer chegar e manter os pés na estrada. Os obstáculos existem, mas cada um de nós, em nossa trajetória, pode encontrar forças para superá-los.

Naquela peregrinação, assim como na vida, ninguém poderia caminhar por mim. Seguir era questão de escolha. No meu ritmo, no meu tempo, com as minhas alegrias e lutas interiores, eu teria que decidir: **continuar ou desistir?**

Naquele impasse, continuar era o que eu mais desejava. Desistir não seria um erro, e sim uma escolha. Cabia naquele momento avaliar quais sentimentos poderiam acarretar uma ou outra decisão. Pensando nisso, aprendi uma grande lição.

Trate a vida como uma caminhada. Você pode escolher como aproveitar o melhor dela. Seja qual for a decisão, siga em frente e experiencie o que ela oferece. Viva as próprias experiências sem se importar se está certo ou errado. Apenas viva intensamente cada momento.

No caminho, eu encontrava muita gente. Alguns à minha frente, seguindo com passos firmes ou se regalando com frescos goles de água, retomando o fôlego. Eu imaginava quantas pessoas já haviam desistido de se aventurar naquela peregrinação. Mas, para mim, saber disso não traria reflexos positivos nem negativos.

Aprendi com a minha própria caminhada que não se pode julgar um "desistir" como opção certa ou errada. É apenas uma escolha. Desistir de alguma coisa ou de alguém não precisa ter uma conotação negativa: pode significar a atitude de refletir e reconsiderar possibilidades para fazer novas escolhas.

No caminho para o templo, eu observava pessoas atrás de mim, procurando capturar da natureza viva e estonteante a energia para continuar. Cruzei com muitos que já haviam resistido aos desafios do corpo e do percurso e voltavam deslumbrados com o que haviam descoberto lá em cima! Resignada, decidi seguir adiante sem perguntar quanto tempo faltava, se a partir dali o trajeto seria mais difícil, mais fácil ou o que eu encontraria. Extraí disso uma segunda lição.

Todos nós temos certeza de que um dia chegaremos a um destino, mas nunca saberemos quando, nem temos garantias de nada. Na estrada da vida, podemos ganhar, perder ou aprender. Tudo depende do nosso ponto de vista. Decida aprender sempre, mesmo quando não existir nada concreto que recompense o seu esforço.

Minhas pernas ora ficavam enrijecidas, ora tremiam! O corpo todo pedia para descansar, mas o tempo inteiro eu procurava condicionar minha mente com pensamentos positivos. Eu vou conseguir! Eu vou conseguir! Eu vou chegar ao templo! Vou descobrir o que existe de tão especial neste lugar! Eu vou conseguir! Meu foco era chegar ao pico da montanha e conhecer o Ninho do Tigre. O que me encorajava era pensar no número de pessoas que anualmente realizam essa proeza. Se elas conseguiram, eu chegaria lá também. "Como EU ansiava por isso!" Durante toda a caminhada se vê o templo no alto, e isso renovava as minhas forças e a certeza de que algo maravilhoso me aguardava.

Devo ter tido alguns devaneios e alucinações nessa caminhada. Uma voz interior anunciava dentro de mim uma enganosa expectativa: na próxima curva vou me deparar com um teleférico, uma escada rolante, uma esteira elétrica! O cansaço faz a gente delirar. Precisei me esforçar para manter a consciência, pois, além do desafio de subir, havia o perigo de escorregar, e naquela circunstância qualquer acidente seria muito sério. Isso gerou um terceiro insight!

Tudo na vida depende da determinação. Quando se está focado em um objetivo e aquilo realmente faz sentido para você, não importa o que seja, as suas forças se concentram na conquista. Além disso, o caminho nos oferece muitos aprendizados e nos dá a oportunidade de nos tornarmos ainda mais fortes e autoconfiantes.

Os budistas têm uma felicidade, uma paz, um estado de contemplação que eu queria conhecer e experimentar. Eu buscava respostas e estava certa de que, ao entrar no Ninho do Tigre, descobriria o que é capaz de gerar esse estado de graça, de altivez espiritual. Àquela altura da caminhada, nem imaginava o que me aguardava!

Você, leitor, também não faz ideia do que preparei para você no decorrer deste livro. A caminhada rumo ao Ninho do Tigre, no Butão, teve o seu dia especial, mas ela continua na minha mente. Percebi com aquela experiência quantas coisas valiosas eu já havia feito na vida e que, por um motivo ou outro, não receberam a devida atenção.

Lembranças brotavam na minha mente, e, mesmo com o cansaço e o abatimento físico, muitas coisas começaram a fazer sentido ali, nas trilhas de uma montanha que, até então, estava nos meus planos "apenas" porque eu queria descobrir algo. Não sou do tipo de pessoa que vive do passado, remoendo experiências, mas em alguns momentos da vida é importante olhar para trás para reencontrar o próprio caminho e avançar.

Por outro lado, tantas outras coisas aconteceram depois dessa experiência! Quando concluí a minha peregrinação pessoal, outras perspectivas se abriram! As possibilidades se ampliaram, e os insights que eu tive durante o trajeto rumo ao Ninho do Tigre me impulsionaram para diversas realizações. Esse é um dos princípios de se saber virar o jogo mesmo em tempos de incerteza... E a nossa caminhada só começou!

2

Nós, o animal e o robô

QUAL É A DIFERENÇA entre nós e os homens das cavernas? Biologicamente, somos os mesmos. Os neurônios em nosso cérebro são os mesmos. O mundo físico à nossa volta é o mesmo (todos os recursos físicos necessários para fazer celulares, tablets, computadores, carros e aviões já existiam naquela época). Mas a vida hoje é infinitamente melhor e mais confortável. Por quê? Por causa do conhecimento. Sim, a única diferença é que nós, hoje, temos mais conhecimento.

O ser humano é o único animal capaz de sentir e expressar as próprias emoções. É o único, também, capaz de perceber o que realmente acontece à sua volta. E é justamente essa capacidade de fazer uma análise crítica própria e do mundo que o distingue dos outros animais. Somos seres surpreendentes, a tal ponto que muitas vezes nos assustamos com nossos próprios comportamentos, hábitos e atitudes.

Em determinado momento da peregrinação rumo ao Takt-shang Goemba, o Ninho do Tigre, me lembrei de uma situação que aconteceu na infância. Eu era pequena, e o meu tio me ensinou a andar a cavalo. Nossa! Meu tio era para mim um herói. Parecia ter uma inteligência inatingível, uma força que poucos poderiam desenvolver e uma sabedoria que me tiraria de qualquer risco ou ameaça. Perto dele eu me sentia a princesa indefesa protegida por um valente. Profundo isso. Subindo aquela montanha íngreme, flashes de memória me fizeram recordar várias orientações dele que me ajudariam naquela aventura.

— Leila, para chegar ao topo dessa subida sem deixar a cela escorregar, siga em zigue-zague: um pouco para um lado, um pouco para o outro. Isso cansa menos o animal e aumenta as chances de você chegar bem ao seu destino.

Me lembrei das orientações do meu tio e percebi que ele tinha razão. Em pleno Butão, a milhas de quilômetros da minha realidade infantojuvenil, sem cavalo nenhum, decidi colocar em prática o conselho dele. Um pouquinho para cá, um pouquinho para lá. Aquilo parecia não fazer sentido, mas na prática funcionou. Hoje eu sei que essa estratégia cabe também para a vida. Mais um insight!

A vida não é uma linha reta, com começo, meio e fim planos e seguros. Enfrentamos altos e baixos, acertos e aprendizados, alegrias e dores, quando procuramos seguir adiante mesmo que seja necessário alinhar o percurso, às vezes para um sentido, outras vezes para outro. O importante é não parar, nem deixar para trás o que acreditamos ser o melhor.

Com algum tempo de caminhada, passei a refletir sobre o cavalo ou qualquer animal irracional. Eles são seres inteligentes

— alguns parecem até mais sensíveis e sábios que os próprios seres humanos —, mas agem de acordo com o instinto. Vivem plenamente o momento presente. Diferentemente de nós, não se preocupam com o conhecimento futuro. Apenas vivem a realidade do momento e se expressam de maneira natural para a vida.

E o futuro é agora. Além de nós e dos animais, existe um terceiro elemento que já está revolucionando o mundo, os relacionamentos, os interesses e até as riquezas. Os especialistas dizem que a tendência é que seja cada vez mais difícil diferenciar o ser humano da máquina. Os computadores já superaram a capacidade humana. Os robôs também são cada vez mais inteligentes. Mas será que eles algum dia terão curiosidade para conhecer o Ninho do Tigre? Eles terão a sensibilidade de lembrar de algo de sua "infância" e se beneficiar disso?

No Japão, os robôs já executam diversas tarefas humanas: cozinham talharim, participam de sessões de psicoterapia com pacientes e até colaboraram nos trabalhos de limpeza após a catástrofe nuclear de Fukushima, em 2011.

Hiroshi Ishiguro, um dos grandes especialistas japoneses do setor de robótica, conta com uma cópia fiel de si mesmo. Seu dublê foi tão perfeitamente desenvolvido que chega a cumprir agenda de palestras presenciais no exterior no lugar de seu gêmeo de carne e osso.

Hello! Entenderam o que eu disse? Até a carreira de palestrante já tem a máquina como concorrente! Será que, assim como algumas espécies animais, o ser humano está em extinção?

Parafraseando um ditado popular, por trás de um sofisticado robô existe sempre uma grandiosa mente humana pensante. Para que os robôs façam parte de um contexto hoje, pessoas pensaram fora dos padrões convencionais, quebraram paradigmas e crenças. O ser humano pode ser a maioria no universo, e esse fato, por si só, aponta que a inteligência, a sensibilidade e a perspicácia humanas são ímpares. Porém, existem possibilidades! Ainda não se sabe concretamente se em outros planetas existem seres semelhantes aos humanos ou outro tipo de vida inteligente. O fato é que algumas transformações evidentes vêm impactando o cotidiano da humanidade. Isso aponta a necessidade de ampliar a visão e adotar novas posturas para não ser deixado para trás.

Para seguir fluindo na vida, vale o zigue-zague — conhecer um pouco aqui, aplicar um aprendizado ali, arriscar uma nova possibilidade lá, criar conexões com o passado, o presente e o futuro, reinventar formas diferentes de fazer a mesma coisa e, principalmente, aprender a virar o jogo no mundo das incertezas. O futuro se renova a cada dia, e o amanhã já está na iminência de se tornar obsoleto.

Existem milhões de oportunidades no universo. Para você, para as pessoas que nos rodeiam e para todos os seres humanos do planeta. Para cada oportunidade, existem infinitas possibilidades. Na trajetória de vida de cada um de nós, surgem alegrias, perdas, dores, encontros, e tudo isso faz parte do crescimento humano. O que nos cabe em primeira mão é manter a visão ampliada e a mente aberta para as aventuras e as incertezas que a vida nos propõe em pleno século XXI.

Fechada nas minhas dores, nas minhas dificuldades e no que ainda teria que percorrer para chegar ao Ninho do Tigre, dificilmente eu conseguiria me lembrar das aulas de cavalgada que recebi do meu tio. O jeito zigue-zague de subir um terreno íngreme diminui o esforço. Trazer essa técnica simples à tona fez diferença e me ajudou a manter o ritmo e o pique. Sem esse recurso, talvez eu não aguentasse ou demorasse mais tempo para chegar ao topo. Associações simples podem ser o pulo do gato para você virar o jogo na sua vida.

A grande diferença entre os seres humanos, os animais e os robôs está justamente na condição inteligente de pensar fora da caixa. Aliás, esse é um processo que ainda funciona, mas já está com os dias contados. O plano de fundo das descobertas e das inovações surge do comportamento disruptivo, que parte de um sistema interno de conhecimento, provocando rupturas em modelos antigos. Não se trata apenas de uma forma diferente de colocar em prática uma ideia, um negócio ou uma carreira que já existe.

Para algumas pessoas, isso ainda é bastante difícil, mas o fato é que, se você faz parte do grupo de seres humanos que ainda não se deu conta da sua capacidade extraordinária de ampliar horizontes, acorde!

Existe uma nova ordem para se manter vivo e evoluir em todas as áreas da vida nesta geração. Saber virar o jogo e enfrentar o mundo de incertezas está diretamente ligado a encontrar a melhor saída para cada situação, seja ela qual for. Em outras palavras, ressignificar os desafios, dar novo sentido aos eventos que ocorrem em sua vida e, se for o caso, até abandonar determinadas ideias quando descobre que elas não fazem mais sentido fazem parte do repertório de quem sabe virar o jogo e conquistar novos territórios.

3

Em qual maré você está navegando?

EU AMO A LIBERDADE. Viajar, estar ao livre, nadar. Me autodenomino uma aventureira, no melhor sentido da palavra, porque gosto de desafios, mesmo aqueles que me dão frio no estômago. Eles indicam o meu próprio nível de superação. É interessante associar a natureza a questões da nossa vida, porque assim fica mais fácil entender alguns processos. Quando observo o meio em que estou inserida, geralmente encontro respostas. Minha experiência no Himalaia prova isso.

Ao observar a natureza, percebemos que todos os seres vivos, desde os mais elementares, têm a capacidade de se adaptar às mudanças, sobreviver às crises e se reorganizar. Vírus e bactérias passam por mutações para resistir a ambientes hostis. Plantas brotam mesmo depois de terem os galhos cortados. Animais migram quando as condições do hábitat dificultam sua sobrevivência. Como ser biológico, o ser humano não destoa da natureza: seu organismo reconstitui tecidos, seu cérebro recupera as funções executadas por uma área que foi lesionada, seus demais sentidos se aguçam para compensar a perda da visão... Enquanto ser racional, porém, o homem reclama! Ele tenta de todas as maneiras controlar o ambiente ao seu redor, tornar a vida segura e confortável, fazer do futuro algo previsível.

Então, quando as coisas não acontecem do jeito que ele espera, quando depara com obstáculos para atingir seus objetivos, enfrenta problemas ou situações desestabilizadoras, é um drama! O ser humano encara essas circunstâncias como ameaças à sua estabilidade. Protesta, esperneia, reclama... Só que isso não produz nada, a não ser desperdício de energia.

Como seres racionais, na verdade, o que deveríamos fazer ante a adversidade ou a crise é nos perguntarmos: "Por que estou passando por isso? O que essa situação pode me ensinar?" Os seres vivos sobrevivem e evoluem por sua própria natureza, e temos ainda o poder da vontade e da consciência para ajudar nesse processo.

Não gostamos de adversidades, problemas e crises porque eles desestabilizam nossa vida, interrompem nosso curso e trazem desconforto e dor. E se há alguma coisa que tentamos a todo custo evitar é a dor! É para não a tornar mais intensa que muitas vezes evitamos ir fundo nas causas dos problemas ou atravessar crises. Tentamos nos convencer de que "isso não tem jeito mesmo" e entregamos os pontos. A dor continua lá, incomodando, mas vamos tentando conviver com ela, nos distraindo com outras coisas para ver se quem sabe ela passa... Mas será que passa?

No íntimo, nós sabemos que não. O problema que tentamos deixar de lado se agrava, a crise que procuramos ignorar se aprofunda, e chega um momento em que a situação fica insuportável. Nesse momento somos obrigados a tomar uma atitude. Quanto mais cedo agimos em relação a algo que nos prejudica ou incomoda, melhor.

No livro *A vida não precisa ser tão complicada*, lançado em 2010, eu digo que, contemplando a natureza, podemos ver a diversidade de formas, cores e sons. Ao mesmo tempo que tudo parece ser tão complexo, podemos enxergar possibilidades ao observar a singeleza e a simplicidade das mesmas formas, cores e sons!

Em todo o contexto do livro, faço uma associação da vida cotidiana de pessoas comuns com a habilidade de um surfista para pegar a "onda perfeita". Embora ainda não tenha me arriscado nessa façanha, observo que o surfista reflete de forma inteligente e profunda sobre a onda que vai surgir, mesmo sendo essa uma condição imprevisível.

Quando ele pega uma onda e rapidamente salta para a prancha, não pensa em mais nada além de deslizar sobre o mar espumante. Sabe que tem dias em que vai cair, que algumas manobras não terão o resultado de que gostaria e que nem sempre as ondas estarão perfeitas, e mesmo assim se diverte. Valoriza a possibilidade de ter treinado mais um pouco a sua remada e fica feliz por pelo menos ter caído no mar.

Quando penso no mundo de incertezas e na importância de aprender a virar o jogo, logo me lembro do mar e dos surfistas. As competências desses profissionais são testadas não só na sua capacidade de controlar a prancha em ondas maiores ou menores, mas também na sua habilidade de executar várias manobras.

A excelência do surfista acontece quando ele consegue ser um com a prancha. Quando o surfista, a prancha e o mar se tornam um naquele horizonte infinito, é o ápice. Algo semelhante acontece com o jogador de basquete ou de futebol. Cientificamente, no mapa mental de um bom atleta, a bola faz parte do seu corpo.

O mundo físico e os relacionamentos estão em constante atividade. Devido ao movimento de rotação da Terra, a cada instante regiões diferentes estarão submetidas às marés baixas e altas. Não dá para parar o mundo e descer. A velocidade da Terra é o que é, e só não a sentimos porque somos parte da Terra.

Assim acontece com as pessoas que viram o jogo. Elas fazem parte do presente, do acontecimento, da circunstância, e assim desenvolvem habilidades e competências para abrir novas frentes, encontrar soluções, criar ou reinventar novas possibilidades. O mesmo tem sido exigido de cada um de nós. Vamos ver como tudo isso faz sentido...

A era de carreiras lineares, planejadas de acordo com a herança profissional familiar, acabou! E já faz algum tempo. Fala-se agora da Quarta Revolução Industrial, da robotização, de cidades inteligentes e da sociedade automatizada. Fatos iminentes. Basta prestar um pouco mais de atenção aos acessos do dia a dia e você vai concordar que mais nada funciona como antes.

Quando foi a última vez que você foi a uma agência bancária para pagar uma conta? Isso já é coisa do passado. Por meio de aplicativos, até o smartphone mais básico dá acesso direto para diversos serviços bancários e até para fazer contato com o gerente da sua conta — estou considerando um serviço "básico", de utilização necessária para 10 entre 10 pessoas economicamente ativas.

O futuro alicerçado na tecnologia já começou, e, independentemente de onde venha a mudança, ela implica a tomada de decisões e provoca novas mudanças. Mesmo que você pense na possibilidade de se manter imune às inovações, elas provocarão mudanças em você. Pessoal e profissionalmente, vamos ser cada vez mais provocados para mudar.

Desde o início de 2016, o sinal analógico de televisão foi sendo progressivamente desligado nas cidades brasileiras. Consumidores que possuíam aparelhos de tevê mais antigos, sem conversor, precisaram se preparar para continuar recebendo o sinal de televisão, que em março do ano seguinte passou a ser exclusivamente digital. Por acaso perguntaram se você queria optar por um sinal ou outro?

Aqueles que já tinham aparelhos adaptados para o sinal digital — talvez porque já tinham se antecipado à mudança — não foram afetados. Os donos de aparelhos mais antigos tiveram que recorrer a conversores digitais ou receptores. Querendo ou não, todos os consumidores tiveram que se adaptar à inovação. Passado o alvoroço da mudança, vimos que a TV digital chegou para trazer mais qualidade de imagem e som e, em poucos meses, já nos acostumamos com a qualidade superior dessa inovação.

De acordo com a Singularity University Germany Summit, onde as mentes mais brilhantes do mundo se reúnem para atacar os desafios mais difíceis da atualidade, o futuro nos reserva surpresas além da imaginação. A taxa de inovação é cada vez mais acelerada, e as futuras transformações serão muito mais rápidas que as ocorridas no passado. Novas tecnologias vão impactar o mundo, a sociedade e a maioria dos negócios. No setor econômico nenhuma área de atividade estará a salvo das mudanças que virão. E é impossível se manter conectado aos novos cenários sem alterar a própria rotina.

Observo no universo corporativo muitas oportunidades de carreira e de negócios, mas há carência de pessoal habilitado para determinados desafios. Para esses profissionais, a falta de capacidade de virar o jogo pode ser um perigoso entrave.

Para gerir um negócio, empreender ou até se manter em uma empresa, é preciso ter visão de futuro e disposição para o autodesenvolvimento. Você se lembra da Kodak? Em 1998 essa empresa tinha 170 mil funcionários e era responsável por 85% do papel fotográfico utilizado no mundo. Em apenas três anos, o seu modelo de negócio foi extinto e a empresa desapareceu. E onde estão esses colaboradores todos? Aqueles que estiveram atentos às mudanças conquistaram novos espaços; quanto aos que se deixaram à mercê da sorte, sabe-se lá qual o destino. E as fotografias, antes cuidadosamente expostas em álbuns, agora ocupam espaço nas redes sociais. Se ficam em alguma pasta no computador, correm o risco de ser esquecidas. Algumas poucas são materializadas em porta-retratos.

O mundo dos negócios tem aberto novas fronteiras e novas oportunidades. O Uber, por exemplo, é apenas uma ferramenta de software e não possui um carro sequer; mesmo assim, constitui a maior empresa de transporte pessoal do mundo. A Airbnb é o maior grupo hoteleiro do planeta sem deter a propriedade de uma única unidade de hospedagem. Ela possibilita a comunicação entre turistas e donos de imóveis do mundo inteiro, e tem no Brasil um dos três mercados do aplicativo que mais crescem no mundo.

Assim como as ondas do mar, a mudança não é uma opção humana, muito menos para "alguns segmentos". Mais do que em qualquer outro tempo, ela se tornou uma condição da própria vida e do que está por vir. Mudar é difícil; não mudar é fatal.

A formação acadêmica é importante, mas não é garantia de uma carreira promissora. Muito mais que a técnica em determinado segmento profissional, o desenvolvimento de novas habilidades e talentos tem sido determinante na contratação de profissionais e até na permanência de colaboradores com posições aparentemente estáveis. Previsões de cientistas e pesquisadores apontam que nos próximos 20 anos (o que chega rapidinho!), 70% dos empregos atuais vão desaparecer. Diante disso, em qual maré você vem navegando?

Para que esse percentual se concretize, ele não vai acontecer de uma hora para outra. As margens vão crescendo pouco a pouco, e essa "contagem" já começou. Assim como aprender as regras do surfe e praticá-las pode garantir intensos momentos de prazer no mar, da mesma forma devemos conhecer nossas competências, habilidades e talentos para encarar as incertezas, virar o jogo, ser felizes e muito bem-sucedidos.

Quando sabemos de histórias de "viradas de jogo" vitoriosas, em geral redobramos a atenção para assimilar qual foi a "guinada bem-feita" que projetou a vida da pessoa ou o negócio. Buscamos uma identificação para avançar. Até certo ponto isso é saudável. Destacar referências, ter um mentor, aprender com os erros e acertos alheios são formas inteligentes de superar os desafios. Observe que toda biografia de homens e mulheres bem-sucedidos traz em suas entrelinhas um detalhe que faz a diferença: a valorização do próprio potencial.

É dito que quando o genial Walt Disney falava da criação do seu império, afirmava: "Não sabendo que era impossível, fui lá e fiz." Tenho encontrado muitas identificações para com essa personalidade fantástica. Compartilhamos a mesma data de aniversário, 5 de dezembro, e, assim como ele, só cheguei onde cheguei porque não sabia que era impossível e fui desbravando caminhos. Eu me identifico demais com as ideias de Walt Disney! Ele tem o perfil de quem entende a vida como um contínuo desafio, que sabe que a vida não tem ensaio, é uma sequência de estreias, e se coloca como protagonista do próprio roteiro.

Cada um de nós tem os próprios desafios. Inclusive Walt Disney. Basta dar uma olhada na biografia dele para ter ideia de quantos! Mas alguns comportamentos o faziam superar os obstáculos:

- **Dava relevância aos seus sonhos e, independentemente das opiniões alheias, movia-se por seus ideais.**
- **Era determinado e confrontava os obstáculos como uma forma de fazer diferente e melhor os seus projetos.**
- **Encarava os constantes desafios como grandes oportunidades.**
- **Era visionário e apostava todas as suas fichas no que acreditava ser o ideal.**
- **Mantinha o otimismo mesmo diante de situações que pareciam fugir ao seu controle.**

Todos os obstáculos são transponíveis quando uma pessoa está disposta a descobrir a melhor forma de alcançar o que deseja a partir dos próprios parâmetros. As incertezas e as mudanças de cenário são parte do jogo. É nos momentos mais difíceis que nos redescobrimos, já que, colocados à prova, temos a oportunidade de confirmar o que de melhor existe em nós.

Ter desafios é o que faz a vida interessante. Superá-los é o que faz a vida ter sentido. Superar é abraçar a oportunidade e reconhecer que o novo é altamente motivador e prazeroso. Em todos os âmbitos da vida, na construção de uma carreira ou no desenvolvimento de um negócio, podem surgir diversos problemas para trilhar e ultrapassar. A recompensa é consequência, mas é preciso enfrentar os riscos com maturidade, conhecimento e excelência. É justamente no processo e na caminhada para defender nossos ideais que mais aprendemos e nos fortalecemos. Como reforçou Martin Luther King, "suba o primeiro degrau com fé. Não é necessário que você veja toda a escada. Apenas dê o primeiro passo".

Nenhum obstáculo é grande o suficiente para barrar você se a sua vontade de superar e vencer for maior. O medo pode até tentar assombrá-lo, mas, se isso acontecer, vá com medo mesmo. Segundo Friedrich Nietzsche, "o que não provoca minha morte me torna mais forte".

4

Se não olhar para dentro agora, você pode se arrepender!

PARAR. Esse verbo, assim, isolado, por si só já causa estranheza. Ainda mais pelo fato de termos falado no capítulo anterior sobre as habilidades de um surfista. Você deve estar pensando agora: *como eu posso parar com tanta coisa acontecendo?* Se eu parar, passam por cima de mim. Mesmo que eu não saiba o motivo, parar é algo fora de cogitação. Que louco isso! Com a velocidade dos acontecimentos, as mudanças quase nos atropelando num ritmo frenético, a orientação "olhar para dentro de si" parece até um contrassenso.

"Leila, como é que eu vou parar com tanta coisa acontecendo?" Essa pergunta silenciosa também foi um entre tantos questionamentos que me sobrevieram enquanto eu seguia nas trilhas rumo ao Ninho do Tigre. Apesar do esgotamento físico, eu relutava contra a possibilidade de parar para reestabelecer as forças e as energias. Eu precisava, mas, pelo menos até ali, não assumia a necessidade de respeitar meu próprio corpo e olhar para dentro de mim. O fato é que as coisas estão acontecendo, fluindo, e, estando você ou não nesse movimento, tudo vai continuar a acontecer.

Cá para nós, com tantas mudanças, inovações e possibilidades, qual é o rumo que você quer dar para a sua vida? Calma, calma... espere um pouco! Não se precipite. Antes de responder, escute. Sem autoconhecimento você não vai muito longe.

O seu passo rápido e largo não garante a chegada a lugar algum se você não sabe ao certo o que deseja. É o autoconhecimento que fará você ser cúmplice e comprometido consigo mesmo, criando a própria realidade. É do autoconhecimento que virão a autoconfiança, a autoestima, a automotivação, a autorregulação, a autoconsciência.

Por isso é tão importante falar de autoconhecimento. Se você não olhar para dentro agora, pode se arrepender depois. E com o arrependimento vem uma série de prejuízos de diversas naturezas. Até a inabilidade de virar o jogo quando surgir uma situação que não faça mais sentido para você.

Pense comigo: você confia em quem não conhece? Confia em si mesmo? Confia que suas emoções estão bem equilibradas para tomar decisões? Como está o seu nível de autoestima, autodeterminação e autoconhecimento? Quando iniciei a minha jornada no Butão, ingenuamente considerei que o meu nível de autoconhecimento fosse suficientemente bom para encarar aquela aventura. Doce ilusão. Quantas coisas eu descobri sobre mim mesma nessa caminhada! Sempre existe algo novo e importante para conhecermos em nós.

Em determinado ponto da caminhada, decidi parar para averiguar o quanto já havia percorrido. Eu precisava fazer um reconhecimento, trabalhar a autoconfiança e o autoestímulo. Foi quando avistei um casal de velhinhos que subia a ladeira numa boa. Eles pareciam caminhar em um local plano, onde os detalhes da natureza se revelavam como quadros emoldurados para serem vistos e admirados. Confiantes, os dois alternavam os passos vigorosos sobre os pedregulhos, que pareciam ter sido lançados como enfeites sobre aquela terra vermelha. Foi então que eu me animei!

Aquela paisagem deslumbrante, o cheiro da vegetação, o cenário que parecia artesanalmente desenhado, as indestrutíveis *praying flags* (bandeiras coloridas com preces que balançam ao sabor do vento), tudo conspirava para o bem, para o positivo, para a conquista. Se os dois estavam tão serenos, eu também poderia manter o pique. Mantive a respiração, renovei o fôlego e continuei. Planejava evitar que o casal de idosos — bem idosos — me ultrapassasse.

Era uma questão pessoal e moral para mim! Usei aquela situação como uma provocação para mim mesma. Uma espécie de automotivação! Mas o gigante da autoconsciência despertou! Percebi que, de alguma forma, eu o mantinha desacordado porque, sempre que se manifesta, ele tem a ousadia de mostrar coisas que eu nem sempre quero ver. Será que isso acontece com você também?

Aconteceu tão rápido que nem consegui me bloquear. A autoconsciência apontou o meu excesso de peso, resultado da vida sedentária que eu mantinha. Eu me dei conta de que, se continuasse daquela forma, em pouquíssimo tempo não conseguiria subir nem o lance de escadas do duplex onde morava na época, quanto mais atingir mais de 3 mil pés de altitude. Mais um insight!

Na vida cada passo é sempre muito importante. É tolice correr atrás do prejuízo e tentar recuperar em horas ou em alguns dias algo que se acalentou durante anos. Mais vale um passo de cada vez, mas de forma consciente e consistente, que uma largada veloz para, em seguida, ficar rendido no meio do caminho.

Naquele momento tomei consciência de que não me conhecia o suficiente. Pior: eu não aceitava algumas limitações. Muito menos me respeitava. Na época, eu tinha pouco mais de 55 anos, e os velhinhos beiravam os 75. Aquela disposição era resultado de uma boa qualidade de vida, alimentação equilibrada, atividade física regular e mente saudável!

Tudo que na teoria eu sabia muito bem ser o correto, mas no dia a dia me autossabotava, prometendo para mim mesma que amanhã seria diferente. Só que esse amanhã não chegava! Quantas vezes na vida você viveu situação semelhante? Não lembra? Tudo bem. Vou ajudar você a exercitar os neurônios e acordar a autoconsciência:

Já se deu conta do tempo em que sabia que era necessário investir na carreira, mas se garantiu com o que conhecia e, em um determinado momento, se viu "passado para trás" por um profissional mais bem preparado?

Quanto tempo você tem vivido em um relacionamento no banho-maria, e fica aí reclamando da sorte, do outro e da vida, sem tomar uma atitude?

Quantas vezes você se preparou para iniciar a dieta ou os exercícios físicos na próxima segunda-feira, e a semana inteira passou e nada aconteceu? Aliás, já se passaram meses e você continua na mesma?

Onde estão as guias dos exames de rotina solicitados pelo médico? Será que você consegue encontrá-las, já amareladas, em alguma gaveta do escritório ou de casa?

Será que aquela tão programada mudança de estilo já ficou ultrapassada?

O seu guarda-roupa está abarrotado de peças que você nem lembra quais são e todo fim de semana é o "dia D" para uma organização que não sai da sua mente?

Quantos livros estão sobre a mesinha de cabeceira esperando para serem lidos?

Quantos projetos na sua vida estão inacabados, ou não passaram de pensamentos, e precisam de uma virada de jogo para acontecer?

Que sentimento horrível é o da frustração e ou da decepção consigo mesmo! Fiquei envergonhada quando o casal de idosos passou por mim e literalmente me deixou "comendo poeira". O que eu estava fazendo com a minha vida? Tive que admitir que não estava cuidando do meu corpo, do veículo que me permite circular pelo mundo, do ambiente em que vivo dia e noite! Não tive respostas naquele momento, mas tomei uma decisão. A atitude em relação à minha saúde e ao meu corpo precisava de uma mudança urgente, caso contrário eu não iria muito longe. Eu mesma precisava provocar uma virada de jogo para garantir meu bem-estar e uma melhor qualidade de vida.

Caí na real enquanto estava fisicamente em movimento, mas "parada" em mim mesma, longe da agitação a que estava acostumada. Se eu não olhasse para dentro de mim naquele momento, certamente me arrependeria. A melhor prevenção contra os males que afligem a humanidade é o autoconhecimento. Quanto mais o indivíduo se conhece, mais se percebe e persegue o que tem a ver com ele. A mesma curiosidade que nos impulsiona a conhecer as outras pessoas, as coisas e o mundo deve nos estimular a conhecer a nós mesmos.

Rumo ao Ninho do Tigre, eu estava distante da minha realidade e bem perto de mim. Isso pode soar estranho, mas é muito comum a pessoa conviver consigo mesma e nem saber quem é, do que precisa, quais são suas crenças limitantes, seus medos e as armadilhas a que se submete. Não é conversa de maluco. É uma realidade.

Assumir o poder das nossas escolhas e conquistar liberdade de ação pressupõe uma grande responsabilidade, em geral acompanhada de mudanças, podendo às vezes significar mudanças drásticas, mas sempre positivas. Existem duas coisas fundamentais no processo de autoconhecimento: a **reflexão** e a **reavaliação.** Somos o resultado das nossas experiências passadas, e, partindo desse princípio, a reflexão sobre os fatos e as ações do passado nos ajuda a evoluir, conscientes do que nos incomoda e do que nos motiva.

Como essa experiência foi transformadora para a minha vida! E será também para a sua, se você levar a sério a importância do que leu até aqui. Destine um tempinho para estar consigo mesmo e com sua consciência, refletindo e reavaliando-se, digerindo o que vê, como percebe as coisas ao seu redor, o que sente, como reage diante de algo que não o agrada. Pense sobre o que deve manter e o que é necessário mudar. Quando você se empenhar no processo contínuo do autoconhecimento, refletindo e reavaliando-se, ficará mais fácil descobrir seu talento, seu propósito e sua missão.

5

Revisando parâmetros, construindo alicerces

SEMPRE É POSSÍVEL VIRAR O JOGO! Mas antes de uma mudança de rota é preciso avaliar as condições. Saber onde você está e onde quer chegar. E ninguém pode fazer isso por você. Agora é você com você mesmo. É o momento de parar.

Deixe de lado qualquer constrangimento e dê a si mesmo uma excelente oportunidade. No espaço abaixo, escreva aquilo no que está pensando agora. Preste atenção à sua voz interior e, à medida que brotar alguma informação, escreva.

Antes, porém, a título de curiosidade e conhecimento, vale saber que os indianos cultuam muitos deuses, e entre eles estão Brahma, Vishnu e Shiva, que, respectivamente, são os deuses da criação, da manutenção e da destruição. A relevância disso é fazer um paralelo com a vida e perceber o que deve ser criado, o que deve ser mantido e o que deve ser banido da sua existência.

Em geral, o ser humano tende a mudar quando percebe que algo precisa acontecer, porém criar e manter são condições do mesmo nível de importância. Vale refletir atentamente sobre isso.

Para facilitar a revisão dos seus parâmetros, responda a algumas perguntas:

- Quais são os seus sentimentos neste momento?
- Quais foram as lembranças que brotaram na sua mente?
- O que importa manter na sua vida?
- O que precisa mudar na sua vida?
- O que precisa ser banido da sua vida?
- Você tem medo do quê?

____

____

____

____

____

____

____

____

____

____

____

6

Construa pontes com as pedras do caminho

POSSIBILIDADES, OPORTUNIDADES E INCERTEZAS. Você pode dizer com segurança que é uma pessoa pronta para encarar tempos de incertezas? Essa provocação é interessante! Em janeiro de 2015, recebi um e-mail que achei genial. Normalmente recebo centenas de mensagens com diferentes abordagens, mas aquela foi muito inteligente.

Marlene Gwadera, uma competentíssima assessora executiva bilíngue, com quase 20 anos de dedicação profissional em uma grande corporação americana, descobriu-se poderosíssima (palavras dela) após ter sido demitida. O início da sua mensagem dizia:

"Leila, ainda outro dia eu estava em uma empresa trocando e-mails com sua fiel assessora, solicitando orçamento para uma palestra. Mas aí a empresa teve que fazer um enxugamento e eu... estava na parte molhada."

Achei bárbara essa colocação e fiquei curiosa para entender o que realmente se passou. Como na época eu estava desenvolvendo um programa de entrevistas e estudando novos conteúdos para palestras, convidei Marlene para um bate-papo. Nos encontramos alguns dias depois, e sua história me trouxe muitas ideias. Eu não imaginava que a utilizaria no capítulo de um livro, mas não poderia deixar passar essa experiência tão enriquecedora.

Em determinado momento da sua carreira, ela sabia que alguma coisa diferente aconteceria na empresa em que trabalhava. Por causa da crise no Brasil, a organização vinha passando por alguns processos novos, e reflexos disso eram vistos na movimentação do quadro funcional. Ela estava atenta e, de alguma forma, se preparando. Mas o impacto que a fez pensar mais seriamente nas mudanças aconteceu quando uma colega, com mais de 15 anos na empresa, recebeu a notícia de sua demissão. O expediente terminava às 17 horas. Trinta minutos antes, o decreto. "Pessoa, vai embora. Tchau." Simples assim.

Nas semanas seguintes esse foi o assunto no departamento. Numa conversa com outras assessoras, Marlene comentou que não saberia o que fazer se recebesse uma notícia dessa e tivesse que, em meia hora, juntar quase duas décadas da sua vida, colocar em uma sacola e ir embora. Isso era inconcebível, embora ela soubesse que a qualquer momento poderia ser a próxima.

Em vez de ficar remoendo a iminente demissão, Marlene abriu o leque para novas oportunidades. Sua primeira ação foi a elaboração do que ela diz ser o Plano de Cinco Minutos. Como nos filmes americanos, ela providenciou uma caixa com alça nas laterais e deixou embaixo da sua mesa. A partir daquele dia deu início à sua preparação.

Marlene assessorava diretores que, seguindo a cultura da empresa, passavam longas horas em reuniões. Nesses períodos ela aproveitava o tempo para organizar documentos, limpar gavetas, resolver pendências do departamento e deixar todas as suas responsabilidades em dia. O seu plano pré-demissão inicial era de meia hora, mas acabou se tornando viável em cinco minutos. Um ano e meio depois, ela foi finalmente demitida e estava preparada. Por mais que parecesse estranho, já tinha delineado um novo estilo de vida, longe das agitações e pressões vividas naquela organização.

Esse processo teve início como uma brincadeira, mas nesse período, além da organização inerente ao cargo que exercia, ela também se preparou psicologicamente. Foi se desligando aos poucos e simultaneamente, fora da empresa, observando novos cenários, novas possibilidades e muitas oportunidades. "Passei a olhar a vida como um shopping cheio de vitrines."

O que se pode tirar de lição dessa história? A primeira coisa é que desempenhar bem uma função hoje não é garantia de sucesso no futuro. É preciso continuar se aprimorando. Ficar parado no trabalho é o mesmo que andar para trás. O processo de renovação profissional e nas empresas é cíclico. Entra-se em uma nova área ou posição, vêm os desafios, que levam ao desenvolvimento, e, então, chegam a estabilidade e a rotina.

Enquanto alguns profissionais tomam a iniciativa de começar um novo ciclo, assim como aconteceu com a assessora executiva, outros permanecem no piloto automático. Na era das incertezas já não dá para esperar um plano de carreira feito pela empresa. O profissional é quem tem que cuidar do seu futuro.

Emprego vitalício já não existe. Iniciar como office-boy e fazer carreira até o alto escalão de uma empresa é coisa do século passado. Antes, um profissional com esse perfil era valorizado; hoje o tempo de serviço dedicado a uma empresa pode ser entendido como comodismo e pouca variedade de vivências — risco iminente de se tornar um profissional obsoleto.

Estabilidade é diferente de comodismo. O profissional deve se manter conectado às exigências do mercado e do seu segmento profissional. É possível se reinventar sempre em todas as áreas da vida. Provocar a virada do jogo ou, em outras palavras, manter-se aberto às mudanças é a forma mais inteligente e saudável para viver possibilidades e seguir no fluir dos tempos.

Um currículo farto de experiências acadêmicas deixou de ser fator decisivo para a decolagem de uma carreira ou de um negócio. As mudanças aceleradas têm condicionado um novo ritmo e exigido a prática de competências comportamentais.

Vão prevalecer ativamente no mercado os profissionais que se dedicarem desde já a um plano de atitudes e comportamentos que envolva o autodesenvolvimento e um novo olhar para as oportunidades. A evolução do mundo, da tecnologia, dos negócios e dos relacionamentos tem requerido processos de reciclagem e atualização constantes. Quem não tiver uma direção que faça sentido à sua vida estará fadado à extinção. O ter sentido é o que renova, fortalece e impulsiona para a realização de objetivos e sonhos.

Hoje tenho consciência de que só atingi o pico daquela montanha no Butão porque mesmo intuitivamente administrei minhas emoções, fiz conexões com o conhecimento adquirido no decorrer da vida, observei ao redor e dentro de mim, mudei de postura, pensamentos e emoções por meio das minhas próprias percepções. Virei o jogo.

A descoberta e o desenvolvimento de novas habilidades são primordiais para dar viradas de jogo na vida, nos relacionamentos, nas finanças, na carreira ou nos negócios. Embora todas as pessoas tenham a sua cota de oportunidades, nem todas têm empreendido os próprios recursos e talentos para se manterem necessárias e assediadas no mercado.

A vida é um mar de oportunidades, um oceano de possibilidades, mas também um universo de incertezas. Vai conquistar ou manter o seu lugar ao sol quem estiver mais bem preparado para virar o jogo. Agora é bem possível que você esteja com uma pergunta atravessada na garganta: Leila, é possível saber a hora de virar o jogo?

Essa é uma questão muito interessante, e, por causa dela, trago um desafio aqui. Talvez você tenha se identificado com a história de Marlene e percebido que a experiência dela pode dar luz às suas próximas iniciativas. Mas pode ser, também, que a questão profissional esteja bem articulada na sua vida, mas em outras áreas existam entraves que vêm sabotando o seu ânimo e minando suas possibilidades de crescimento.

A jornada no Butão me ensinou que a hora de virar o jogo é a gente mesmo que determina. Seja qual for a sua situação, se está buscando direção para dar um novo sentido à vida, proponho quatro importantes perguntas para facilitar o seu processo. Vamos lá!

Você se sente respeitado com o que está fazendo hoje?

Você se sente valorizado com o que está fazendo hoje?

Você está aprendendo e crescendo com essa situação?

Essa situação está alinhada ao seu sentido de vida, ao seu propósito?

Saber perguntar (para os outros e para si mesmo) é uma arte! As perguntas funcionam como enzimas. Elas caminham entre ideias e pensamentos, selecionam, iluminam, organizam, despertam, angustiam, movimentam, eliminam, resolvem — são verdadeiras facilitadoras do processo de decisão. Quando entendemos o seu valor e permitimos ser confrontados por elas, isso gera em nosso interior uma verdadeira ebulição e nos faz evoluir.

As quatro perguntas que você acabou de ler têm sido primordiais para o meu próprio autodesenvolvimento e para um incontável número de pessoas que têm passado pelos meus treinamentos e palestras. Quando alguém anseia por crescimento na vida, os questionamentos são muito mais enriquecedores que um monte de afirmações. As perguntas provocam um novo padrão de raciocínio, estimulam as sinapses, despertam a criatividade, ampliam perspectivas. Isso acontece porque a resposta a cada questionamento deve partir do seu próprio eu, das suas experiências, das suas vivências. Receber orientação, analisar o contexto e as afirmações de pessoas experientes é importante, mas não mais que as respostas que você mesmo dá aos questionamentos que surgem.

Cultivar o hábito de se questionar em todos os momentos da vida, todos os dias, levará você a refletir sobre os rumos que tem seguido, o que está dando certo, o que não combina mais com a sua realidade e o que pode ser mudado. Esse exercício pode gerar insights poderosos. Já deparei com várias oportunidades (e necessidades) para virar o jogo, e ao submeter cada um dos momentos a essas perguntas percebo mais claramente qual é a minha real situação. Além disso, fico atenta aos sinais. Quando percebo algum, aproveito. Se não consigo mensurar algum ganho, sempre aprendo!

Ainda hoje, em plena era das transformações, observo pessoas estacionadas na vida, aguardando métodos instantâneos e eficazes para obter resultados. Poderíamos falar durante horas seguidas de possibilidades politicamente corretas de virar o jogo e construir pontes para o sucesso. E até seria válido; um excelente exercício mental no campo das teorias.

Na prática, conquista sonhos, realiza projetos e aproveita bem o que a vida oferece quem tem um insight, valoriza sua intuição, acredita no seu sonho e parte para a ação. O autoquestionamento é uma estratégia altamente eficaz, mas só assume essa condição quem percebeu que não dá mais para perder tempo com ensaios. Trocando tudo isso em miúdos, sugiro que você nem pense em seguir para o próximo capítulo sem antes se submeter a uma importante autoanálise a partir das quatro perguntas a seguir.

Você se sente respeitado com o que está fazendo hoje?

____

____

____

Você se sente valorizado com o que está fazendo hoje?

____

____

____

Você está aprendendo e crescendo com essa situação?

____

____

____

Essa situação está alinhada ao seu sentido de vida, ao seu propósito?

____

____

____

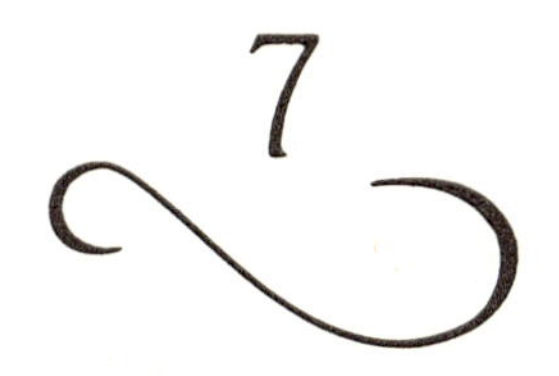

A crise chegou?! Esse é o seu momento de evoluir

"DECIDIMOS FORMAR UM GRUPO DE MOTIVAÇÃO, que nos estimule a sair da crise, mas estamos sem rumo." Foi assim que começou um e-mail que recebi, enviado pelo gestor de uma empresa tradicional, centenária, que se via forçado a fechar uma de suas unidades. "Mas, se a motivação está em cada um de nós, o que devemos fazer para motivar 200 pessoas que não têm destino certo e seguro?"

Situações como essa são cada dia mais comuns, ainda mais em circunstâncias iminentes da Quarta Revolução Industrial, com forte presença de tecnologias digitais, mobilidade e conectividade de pessoas. As diferenças entre homens e máquinas se dissolvem, o valor central é a informação, e as transformações empresariais são inevitáveis.

Sobreviver a elas ou melhor, ganhar com elas é o grande desafio, pois exige mudança de postura e de crença. A palavra "motivação" é derivada do latim "movere", que significa mover para a ação. Pensar em motivação no auge de uma crise, e com pessoas sem rumo, não é a forma mais inteligente de conduzir a situação. É desperdício de energia discutir possibilidades em um momento em que a ação é a atitude recomendada.

Quando um barco afunda, é a ação que levará a pessoa à terra firme com os recursos disponíveis. Quando alguém se sente mal, é a ação de socorrê-la que pode salvá-la. Quando o calo aperta, é o movimento, a atitude, o confronto que fazem a diferença.

Em resposta ao e-mail que recebi, é recomendável esquecer os grupos de motivação e fazer um mutirão de ação que estabeleça rapidamente novas metas, fixe estratégias criativas e efetivas para atingi-las e faça todos os envolvidos chegarem lá, sãos, salvos e motivados! Quando a questão é pessoal, e nem sempre encontramos a compaixão que gostaríamos para enfrentar as provocações da vida, a orientação é a mesma.

Desafios existem para serem superados. Um ensinamento oriental diz que "se um problema tem solução, deixa de ser problema; se não tem solução, também não constitui problema". Também podemos tirar proveito da sabedoria das águas. Ela nunca discute com os obstáculos: contorna-os e encontra uma saída. Isso já define um posicionamento.

Perder energia com soluções impossíveis não é saudável nem inteligente. Importa saber distinguir duas atitudes bem diferentes: **perseverança**, que nasce da confiança nas próprias metas; e **teimosia,** que se agarra ao impossível porque não acredita em outra possibilidade ou simplesmente porque se recusa a largar o osso. Desistir não é sinal de covardia, e sim de maturidade e sabedoria! Discernir quando é o momento de convergir ou descartar de vez uma rota é fundamental.

Crise é crise. Na sua definição literal, é uma mudança brusca ou uma alteração indesejada que pode acontecer no âmbito pessoal ou profissional. O momento de crise vivido por um indivíduo pode ser apenas um evento desagradável ou ainda uma oportunidade de evoluir e dar uma guinada na vida. A forma de encarar fatos e circunstâncias está intimamente ligada à trajetória de vida da pessoa, ao seu repertório comportamental.

Conheci duas pessoas com diferença de apenas dois meses de idade. Ao contrário do que normalmente se vê, Joana estava muito bem resolvida com a proximidade da sua fase balzaquiana. Com a carreira em ascensão e a vida particular num momento especial, sentia-se cada vez mais madura e capaz para conquistar territórios e ultrapassar as próprias fronteiras.

Já com o seu amigo, poucos meses mais novo, arredondar três décadas de vida gerou angústia, medo e insatisfação. Casado há cerca de cinco anos, cismou que estava "atrasado" para ter um filho. Embora tentasse levar os sentimentos naturalmente, seus comentários e brincadeiras denunciavam os fantasmas emocionais que o atormentavam. Seus amigos da mesma faixa etária não entendiam o seu processo; aliás, nem mesmo ele se compreendia.

Ao comparar a vida de um homem e de uma mulher, a do homem parece sempre linear. As opções parecem simples: escolher uma profissão, destacar-se no trabalho, encontrar uma companheira e juntar as escovas. Tudo muito prático. As crises masculinas, em geral, são externas, induzidas pela falta de estabilidade financeira, doença ou fim de um relacionamento. As mulheres têm crises autônomas, geradas por suas próprias aspirações.

Quando essa mesma dupla chegou aos 40, o homem quase pirou, e, pelas minhas contas, os dois agora estão à beira de atingir meio século de vida. Mantenho contato com Joana e percebo que ela mantém o vigor, está sempre se reinventando e vivendo novas experiências. Ele, pelo que sei, ficou tão preocupado com a contabilidade dos anos que deixou de desbravar seus caminhos e viver plenamente.

Crise não tem padrão nem avisa quando vai chegar, mas dá sinais. E o que fazer com tudo isso? Pode ser a sua pergunta agora. Vale relembrar a importância das quatro perguntas feitas no capítulo anterior. Lembra-se delas?

Conseguem virar o jogo com mais facilidade (mesmo que isso não elimine o sofrimento) as pessoas que se questionam e encaram os próprios fantasmas. A maturidade não se percebe pelos anos de vida, e sim pelas experiências vividas.

Segundo Jalal ad-Din Muhammad Rumi, mestre espiritual do século XIII, o medo é a não aceitação da incerteza. Se aceitamos a incerteza, ela se torna aventura. Já a raiva, ele define como a não aceitação do que está além do controle. Quando a pessoa aceita, torna-se tolerância.

Para evoluir no momento de crise, a saída é encarar os desafios como uma preciosa aventura — aceitar que determinadas situações estão além do controle, que a vida é um mar de oportunidades, um oceano de possibilidades. Em vez de permitir que a vida seja uma reprodução de acontecimentos, ouse criar uma história fascinante. Isso implica sair dos modelos automáticos e enxergar através das lentes turvas dos próprios condicionamentos.

Cada experiência é rica e transformadora quando vivida com atenção. Quando passamos por ela inconscientes da própria realidade, torna-se irrelevante e, com isso, deixamos de evoluir.

8

Da desolação cria-se um trampolim

QUINZE ANOS ANTES da minha experiência no Butão, me vi forçada a dar uma grande virada de jogo na minha vida. Talvez tenha sido a mudança mais impactante e expressiva de toda a minha existência. Assim como um tsunami chega sem avisar, interrompendo a aparente serenidade e harmonia da natureza, o princípio do fim do meu casamento teve o mesmo impacto. Despertei para uma realidade dura. De uma hora para outra, os meus sonhos, planos e ideais ruíram.

Naquela época, eu tinha catorze anos de casada. Fui educada para ser uma mulher perfeita — a esposa dedicada, fiel e companheira, a mãe atenta à criação e à formação dos filhos, a boa administradora do lar e das finanças domésticas, a anfitriã elogiada. Fiz tudo certinho, de acordo com o padrão exigido e esperado da época. Essa realidade era tão clara no meu contexto de vida exemplar que eu era feliz! Sim. Eu fui muito feliz nesse tempo.

Assumir todas as responsabilidades da "mulher perfeita" me dava tanto prazer que, mesmo depois de um dia cansativo, eu ainda tinha fôlego para colocar os filhos na cama e me preparar com uma roupa sensual para esperar o meu marido. Fiz tudo direitinho!

Fui preparada para ser a "mulher em função". Função do marido, dos filhos, dos negócios da família. Formada em fisioterapia pela Universidade de São Paulo, eu trabalhava no Centro de Terapia Intensiva do Hospital Sírio Libanês quando o meu marido foi convidado a assumir o posto de cirurgião em Arujá, município próximo à capital paulista. Montei uma academia, depois uma clínica de fisioterapia em São Paulo. Dei aula na Faculdade de Mogi das Cruzes e conseguia conciliar todas as responsabilidades. Sempre me virei bem para administrar tudo.

Eu tenho três filhos, Melissa, Priscila e Pedro. Eles tinham 13, 12 e 6 anos na ocasião da minha grande mudança forçada. Além de gerenciar uma clínica de fisioterapia que chegou a atender cerca de cem pacientes, eu cuidava do cavalo, dos cachorros, dos periquitos e papagaios que criávamos em um sítio. Eu tinha tudo para acreditar que meu casamento estava nos eixos e que seria feliz para sempre. Nem imaginava a surpresa que me aguardava.

Um belo dia, meu marido chega em casa e diz: "Leila, precisamos dar um tempo." Quando ouvi essa frase, paralisei! Como assim um tempo? Senti um aperto intenso no peito. De alguma forma, a partir daquele momento minha vida mudaria radicalmente. Aquele clima aparentemente confortável estava com os dias contados. Me fiz de desentendida, mas percebi que aquela conversa era o começo do fim. Fazer drama não mudaria a situação. Em vez de me posicionar como vítima, pensei comigo mesma: "Leila, isso não deve ser um problema, e sim uma oportunidade."

Foi nesse momento que relembrei um sonho antigo. Eu sempre quis fazer um curso de pelo menos seis meses nos Estados Unidos, mas, com marido, filhos e uma carreira em ascensão, o sonho fora deixado para trás. E agora eu estava diante da possibilidade de retomar um antigo desejo. "Ótimo! Então fica aqui cuidando das crianças e você tem o tempo que quiser, enquanto eu vou fazer um curso que sempre quis no exterior."

Reuni força e coragem e fui fazer o curso do método rolfing de integração estrutural, para me aperfeiçoar como profissional da área de saúde. Essa viagem mudou a minha vida e me fortaleceu.

Quando voltei, achava que ainda havia a possibilidade de o casamento continuar. Foi muito difícil. Toda mudança tem os seus processos, dores, mágoas, e a reconciliação, que era o meu verdadeiro desejo, não aconteceu. Acabou o casamento e com ele se desmantelaram muitas utopias que eu acreditava possíveis na vida de um casal. Nesse processo entendi que não existe reconciliação com o outro enquanto isso não acontece individual e intimamente com cada ser humano. Eu precisava me recompor e mergulhar no autoconhecimento. Depois, reinventar a minha vida, a minha história, foi consequência.

Vendi a clínica de fisioterapia e fui trabalhar como rolfista. Montei um consultório em Mogi das Cruzes, porque em Arujá eu era a mulher do Dr. Fulano e em Mogi das Cruzes eu tinha de ser a Leila Navarro.

Aproveitei para montar um consultório em São Paulo também, onde o mercado era mais promissor. Eu passava metade da semana em cada cidade. Nessa época, comecei a dar palestras para divulgar o método rolfing. Aquilo ainda era novidade no Brasil, e eu tinha as informações fresquinhas direto da fonte. Como eu queria divulgar e as pessoas queriam conhecer, onde eu podia juntar cinco ouvintes, dava a palestra. Apesar de tudo, eu estava muito feliz! Já me aventurava nos palcos e tinha excelente receptividade.

Anos depois me dei conta das "diversas" identidades que fui assumindo na vida. Primeiro fui a Leila do Vicente, meu pai. Depois passei a viver a Leila, esposa do Dr. Fulano de Tal, um médico conceituado que me garantia status, uma vida estável e uma condição social interessante. Só então, depois de viver uma realidade que não planejei, tornei-me a Leila Navarro, com minhas próprias descobertas. A partir daí comecei a me enxergar. Percebi que havia me divorciado da minha essência e precisava resgatar o meu "eu". Não foi fácil. Precisei me reencontrar e fazer um casamento interior.

Existem alguns passos importantes nesse processo, e o primeiro deles envolve o reconhecimento de atitudes, comportamentos, crenças que nos emperram. Sabemos que de alguma forma eles nos fazem mal, mas, por não conseguir definir um diagnóstico, preferimos ficar na zona de conforto. O autoconhecimento é a base sustentável da nossa vida.

É sempre mais fácil enxergar o diagnóstico e a solução para as questões alheias do que olhar para o próprio umbigo. Observe isso no dia a dia. Se um amigo comenta sobre as dificuldades de relacionamento com a mulher, rapidamente surge um discurso infalível para a solução. Pense nos pais que têm dificuldade com o filho e logo, do seu ponto de vista, você terá o motivo, as consequências e o passo a passo para acabar de vez com a situação que aterroriza a família. O não alcoólatra sempre tem a solução para quem costuma ser o estraga-prazer na família ou nas reuniões sociais. Aquele que não tem problema com drogas tem uma definição para cada comportamento do dependente químico.

Se a situação do país não vai bem, surge um expert em alguma coisa para dizer o que deveria ser feito, dito ou programado. Quantas vezes já ouvi pessoas quebradas financeiramente ou com os relacionamentos destruídos dando palpite na economia do país ou na vida do vizinho que está em crise.

Espera aí. Nem precisa ir muito longe. Observe os torcedores de um time de futebol e terá uma realidade bem definida do comportamento do ser humano. Cá para nós, deve ser terrível ser mãe de técnico, juiz ou jogador de futebol em seus dias menos afortunados. Claro, quem está de fora não sente a pressão, os medos e as aflições de quem está no jogo.

Uma amiga, casada, mãe de uma menina e um menino com diferença de apenas três anos, comentou que até os 6 anos do filho nunca tinha prestado atenção em um jogo de futebol, até que o garoto começou a treinar. Assistir a amistosos e campeonatos nos fins de semana tornou-se um passeio interessante, esperado. Na arquibancada ela se descobriu uma torcedora contumaz, mesmo sem entender muito das regras do futebol. Certo dia, orientando o filho a dominar a bola, ela se descobriu uma treinadora. O fato é que, quando ela mesma foi para a quadra participar de um amistoso de mães, percebeu a imensa diferença entre ser a jogadora e estar na plateia considerando o certo e o errado em campo.

Assim é com a vida. Quem está dentro de uma situação tem uma visão. O que está fora enxerga de outro jeito. E às vezes não tem certo ou errado. É questão de perspectiva. O que realmente faz a diferença é cada um de nós não se abalar com as circunstâncias e buscar se conhecer o mais profundamente possível, mantendo-se aberto às possibilidades da vida. Conhecer a si mesmo faz total diferença quando é necessário fazer novas escolhas e definir novos caminhos.

Desde muito cedo busquei o autoconhecimento, mas acordei para mim mesma aos 40 anos. A vida se abriu para mim porque decidi me abrir para a vida. Além do divórcio do homem que até então eu julgava ser o ideal, também dei um basta em todos os paradigmas que fui criando ao longo dos anos. Eu não desejava essa mudança, mas tive que traçar uma nova rota de vida. Doeu, doeu muito, mas tenho convicção de que só fiz conquistas incríveis porque não paralisei com o baque que a vida me deu. Eu virei o jogo! Juntei todas as minhas forças e transformei o momento difícil em oportunidade.

Do tempo do divórcio à ascensão da minha carreira como palestrante motivacional foram exatos sete anos. Tempo suficiente para aprender, crescer, descobrir e redescobrir muitas possibilidades! Foi nesse período que iniciei a jornada para me tornar a primeira mulher palestrante profissional do país, requisitada também no exterior. Este é o meu 16º livro de motivação e autodesenvolvimento.

Por conta do meu trabalho, fui entrevistada pelos mais conceituados comunicadores do Brasil e já dei palestras em Portugal, Espanha, Chile, Uruguai, Japão, Panamá, México, Peru, Paraguai, Colômbia e Angola. Semanas antes de escrever estas linhas, dei uma entrevista para um programa em rede nacional numa emissora de Portugal. E sabe qual foi o tema? Como virar o jogo na vida e ser mais feliz!

Posso falar sobre esse assunto com propriedade porque já tive "treinamentos" práticos em diversas áreas da vida. Cair não é o problema. Na estrada da vida, a probabilidade de levar tombos é grande. Ter coragem de quebrar a cara também é importante. Faz parte do crescimento. A diferença está no que vem a seguir. Tem gente que escolhe continuar prostrado após uma queda, reclamando da vida, da falta de oportunidades, das pessoas ao redor. Outros, e eu me incluo nesta última categoria, decidem aprender com os tombos, levantam, sacodem a poeira e dão a volta por cima.

Toda pessoa tem dentro de si a capacidade de se tornar o que quiser. Você tem a capacidade de virar o jogo, mesmo que esteja pensando agora que isso só vale para alguns "escolhidos". Espera aí! Se existem escolhidos, você é um deles. Você é capaz de conquistar tudo o que quiser. Depende única e exclusivamente de você.

Pensar pequeno ou pensar grande dá o mesmo trabalho. Só que, quando pensamos grande, grandes coisas acontecem. Aquele velho ditado "quem procura acha" é pura realidade. Se você procura os problemas, eles surgirão. Criamos nossos próprios problemas.

Quando as coisas estavam mais estabilizadas no consultório de fisioterapia, eu atendia um paciente com todo o cuidado necessário para fazer daquele momento algo especial. Cada pessoa era atendida com tal exclusividade que nem mesmo a minha fiel secretária era autorizada a interromper a sessão. Mas um dia, numa situação atípica, não houve jeito.

— Dona Leila, desculpa, mas o caseiro está no telefone e disse que precisa falar urgente com a senhora.

— Diga que estou em atendimento e não posso ser interrompida — respondi, certa de que o recado havia sido muito bem entendido. Cinco minutos depois, a secretária voltou, desesperada. Seus olhos arregalados anunciavam a iminência de uma tragédia.

— Dona Leila, é urgente. A senhora precisa atender o caseiro.

Percebendo que aquilo não era normal, pedi desculpas ao paciente e fui atender a chamada. Tão logo eu disse alô, o caseiro desandou a gritar do outro lado.

— Dona Leila, dona Leila! A vaca está parindo deitada, e vaca parindo deitada morre!

— Quem entende disso é o veterinário e não eu! Liga para ele.

Voltei para o consultório, visivelmente inconformada por ter que interromper o trabalho para dar conta de uma situação que estava fora do meu alcance. Sem ter noção do quanto o seu comentário mudaria minhas perspectivas, o paciente observou:

— Se a senhora não tivesse vaca, não teria esse problema!

A partir daquele dia eu decidi procurar oportunidades em vez de criar problemas! Transformei essa observação em filosofia de vida e tenho vivido experiências tremendas nas últimas duas décadas pelo simples fato de buscar sempre o lado bom das coisas. Os sinais estão por toda parte!

Viver é como escolher feijão. Quando eu era pequena, minha mãe me colocava para separar os feijões bons dos ruins. Venho aprendendo com isso até hoje. Somente os feijões bons importam. Essa é a mentalidade por trás da capacidade de virar o jogo — sempre olhar para as coisas boas da vida e descartar o que já não faz sentido.

Esperar que o mundo transforme sua existência, que a felicidade bata à sua porta ou que você ganhe na Mega-Sena é puro desperdício. Alimentar a esperança de que só coisas boas aconteçam é um pulo para o fracasso. Existem dentro de nós todas as ferramentas para transformar sonhos em realidade e virar o jogo. Mesmo que você esteja no fundo do poço, saiba que lá dentro existe uma mola.

9

Adversidades e crises geram resiliência espontânea

DURANTE A INESQUECÍVEL experiência nas íngremes montanhas do Butão, no Himalaia, a determinada altura — ainda bem longe do meu destino final — o abatimento tentava me vencer. Comecei entusiasmada a caminhada e fui percebendo muitos altos e baixos durante o percurso. Tinha uma companhia que me impulsionava a superar cada desafio, me instigava para firmar o passo. Era bom, mas aprendi que na vida, mesmo tendo alguém ao seu lado procurando dar ânimo, o que realmente faz a diferença é a conversa interna que permitimos dentro de nós.

A mente quer uma coisa, o corpo responde de outra forma e uma luta física e emocional acontece. Lembrei, então, da recomendação de um amigo na época em que fiz o Caminho do Sol. Existem duas alternativas para percorrer 241 quilômetros entre as cidades de Santana do Parnaíba e Águas de São Pedro: o Caminho Peregrino, que se faz em onze dias a pé, e o Caminho Beregrino, destinado a quem faz a aventura de bicicleta.

Tentando superar o desafio de chegar ao Templo Ninho do Tigre, minha mente tratou de "buscar auxílio". Foi aí que me lembrei do ensinamento do meu amigo: "Tenha uma estaca. Ela vai ser o seu apoio!" Essa frase despretensiosa ecoou dentro de mim e me ajudou a não desistir no Himalaia. Ouvi claramente a entonação, a firmeza, a clareza da voz do meu amigo. Dali surgiram dois insights poderosos para colocar em prática na vida e dar a ela um colorido incrível!

Temos o poder dentro de nós. Você e eu somos capazes de mudar a nossa realidade e a nossa percepção quando nos tornamos sensíveis aos nossos sentidos.

Por outro lado, é importante admitir a nossa impotência e incapacidade, mesmo que momentânea, para corresponder às adversidades, às perdas, aos tsunamis que a vida nos impõe.

Não é preciso que sejamos os poderosos, invictos, imbatíveis o tempo todo. A humildade é uma virtude. Cada pessoa é única, tem o seu tempo, o seu aprendizado. Seja intenso em tudo que faz, mas respeite os outros e a si mesmo sempre!

Rapidamente procurei um pedaço de pau firme, me posicionei e senti as forças renovadas. Respirei profundamente e agradeci. Naquela situação, uma vara foi o meu combustível, mas quantos motivos temos para sermos gratos, mesmo que as circunstâncias não pareçam tão favoráveis? Quando refletimos sobre a vida, percebemos que tudo tem suas interligações e conexões: basta manter-se aberto para percebê-las.

Tudo isso não fazia muito sentido com o que me veio à mente em seguida: a capacidade que o ser humano tem de superar as adversidades com os recursos que tem à sua disposição. Parecia tudo muito vago, mas percebi que as mais bem-sucedidas viradas de jogo na vida são geradas na capacidade de adaptação diante das adversidades.

Sabe aquele sujeito que passa por uma grande crise, perda, decepção, situação difícil, mas não perde a fibra nem a vontade de lutar? É o tipo de pessoa que a psicologia chama de resiliente. Em situações adversas, seja em que circunstância for, a maioria tende a se considerar o último ser humano da face da Terra. Mas ao tratarmos dos atributos de um indivíduo resiliente e pensarmos que essa atitude pode ser aprendida, o nosso posicionamento muda. A resiliência é uma habilidade essencial para quem deseja estar preparado para virar o jogo.

O povo japonês é um exemplo de resiliência, flexibilidade e adaptabilidade. Nenhum lugar é tão suscetível a terremotos quanto o Japão. A cada ano, o país sofre 5 mil tremores de terra — ou 10% de todos os abalos sísmicos registrados no mundo inteiro. A nação que deu ao mundo a palavra "tsunami" de tempos em tempos tem de enfrentar terremotos brutais que desencadeiam tragédias de grandes proporções.

Em 2011, era início de tarde no Japão quando um terremoto de 8.9 graus na escala Richter detonou uma catástrofe. O pior ainda estava por vir: um tsunami com ondas de até 10 metros devastou cidades, arrastou navios, matou e feriu milhares de pessoas. Esse episódio entrou para a história como o maior de todos os tremores já ocorridos no país. O resultado seria pior se os japoneses não fossem os maiores especialistas do planeta na prevenção de terremotos. Dos sistemas de alerta até a construção de prédios, dos treinamentos periódicos ao atendimento de emergência, o Japão é a nação mais bem equipada para sobreviver a hecatombes como essas.

O Japão é conhecido por ser uma das maiores potências tecnológicas do mundo. Para fazer frente a essa situação, a engenharia japonesa concebe edifícios dotados de grandes molas na sua fundação. Com isso, o prédio vibra por inteiro ou homogeneamente, o que aumenta muito a resistência ao terremoto. Construções gigantes chegam a balançar de um lado para o outro assustadoramente, mas as estruturas suportam e eles não caem.

Trazendo isso para a nossa realidade, podemos tirar uma lição importante. Vivemos momentos de alegrias, mas as contrariedades, os desafios, as dificuldades e o inesperado também fazem parte da vida. Muitas pessoas se perdem dos próprios objetivos e sonhos e literalmente quebram empresas, destroem destinos, rompem relacionamentos, entram em colapso nas finanças porque não são flexíveis na adversidade, muito menos exercitam a capacidade de se antecipar às mudanças ou de se renovar a cada nova fase da vida.

Ao contrário dos prédios japoneses edificados com molas, quando os terremotos chegam muita gente não tem flexibilidade para se adaptar às circunstâncias. Mantêm o mesmo padrão de comportamento em situações diferentes, enxergam apenas um lado, cauterizam a mente para novas possibilidades — não sabem seguir o movimento. Permanecem na mesma.

Diante de situações novas, é natural se assustar com as instabilidades. Muitas vezes ficamos mexidos, bagunçados com as situações. É inevitável, mas balançar não é o problema. O mais importante é se manter de pé. Adaptar-se está longe de se resignar diante das circunstâncias: tem a ver com aceitar a adversidade para se manter no jogo e construir um novo caminho.

Uma pessoa resiliente tem maior capacidade de enfrentar mudanças, adversidades e superar os obstáculos. É dura na queda, enfrenta crises, sofre perdas, encara fracassos e continua firme, sem perder a fibra e a vontade de lutar. Não desiste dos seus objetivos. Parece até que, quanto mais problemas ela enfrenta, mais forte fica.

Os indivíduos bem-sucedidos na vida pessoal, nos negócios, na carreira em geral têm a resiliência à flor da pele. Eles são como bambus. Flexíveis e resistentes, suportam rajadas de vento e tempestades, mas, ao cessar o vendaval, voltam ao seu lugar revigorados.

Para desenvolver a resiliência, é necessário encarar as dificuldades como desafios e dirigir energia para superá-las. Aquele que enfrenta as crises com pessimismo, vive reclamando das injustiças da vida e permanece na mesmice não confia na própria capacidade de dar a volta por cima.

Quando as crises, os embaraços, as contrariedades e as limitações são encaradas como oportunidades de aprendizado, é possível atravessar qualquer turbulência com equilíbrio e consciência. Só a resiliência permite que uma pessoa cresça com a crise, aprenda com o erro, tenha sucesso no fracasso. Indivíduos resilientes são otimistas, realistas e estão sempre prontos para criar formas de renovar, inovar e evoluir.

A resiliência é uma habilidade que pode ser desenvolvida por meio da tomada de determinados comportamentos. Quer saber quais são?

ACEITE POSITIVAMENTE A MUDANÇA.
Seja capaz de reconhecer que as transformações e as situações difíceis oferecem oportunidades de crescimento.

DESENVOLVA A AUTOCONFIANÇA.
Confie em você e acredite que pode se colocar diante de qualquer situação com uma postura forte e eficaz.

SEJA AUTOEFICAZ.
Acredite no seu potencial, nos seus talentos e na sua capacidade de realização. Fique atento ao julgamento que faz sobre si mesmo. Você é aquilo que pensa ser.

ALIMENTE O BOM HUMOR.
Assuma os problemas e recorra ao entusiasmo e à alegria para lidar com eles. Isso possibilita uma forma mais otimista de enxergar a vida.

CONTROLE-SE EMOCIONALMENTE.
Mantenha-se sensível às suas emoções e atento à sua forma de se expressar.

COLOQUE-SE NO LUGAR DO OUTRO.
Busque compreender as razões que levam cada pessoa a se comportar de determinado modo.

PRATIQUE A AUTODEPENDÊNCIA.

Mantenha distanciamento emocional de outras pessoas para ampliar a resistência e a força em situações adversas.

PENSE POSITIVAMENTE.

Veja o lado positivo de tudo e de todos, seja no âmbito profissional, familiar ou pessoal, e defina objetivos claros para realizar seus sonhos.

CRIE O HÁBITO DE REFLETIR.

Diante de um impasse, uma situação difícil ou uma decisão a ser tomada, fique atento aos seus sentimentos e reflita sobre a melhor solução com sabedoria, inteligência e crítica.

SEJA SOCIÁVEL.

A habilidade de se relacionar e criar laços de intimidade com outras pessoas amplia a capacidade de enxergar a realidade.

ADOTE VALORES POSITIVOS.

Comprometa-se com seus valores e estenda o seu desejo pessoal de bem-estar a toda a humanidade. Além de propiciar uma vida satisfatória, isso desenvolve a sua riqueza interior.

ENCARE A REALIDADE.

Se não pode mudar um fato, mude o seu comportamento e crie novas possibilidades.

10

Nada muda se você não mudar

"EM 2006 EU ESTAVA ME SENTINDO UM LIXO! E foi nessa condição que a Leila Navarro entrou na minha vida. Nessa época eu trabalhava como supervisora de loja e tive a oportunidade de assistir a uma palestra dela. Depois desse evento eu decidi empreender e hoje tenho o meu negócio próprio. É uma rede de lavanderia, com quatro lojas. Mas eu quero mais. Por isso, hoje vim a esse evento. Também quero agradecer à Leila porque foi graças à frase 'nada muda se você não mudar' que ela reforçou diversas vezes nessa palestra que eu cheguei onde estou. A partir daquele evento, passei a me olhar todos os dias no espelho e a dizer para mim mesma: 'Poderosa, nada muda se você não mudar.'

Na empresa em que eu trabalhava, sentia que o meu talento estava sendo desperdiçado. Foi uma fase muito complicada; estava me sentindo um lixo como profissional e fracassada como mulher. Foi então que decidi que precisava mudar, mas ainda não sabia como e nem por onde começar. Não podia abandonar o meu emprego. Comecei a pensar no que seria possível criar sem precisar de muito dinheiro. Tinha que ser algo que eu soubesse fazer ou vender, mas não conseguia pensar em nada concreto.

Foi daí que eu criei coragem para abrir o meu próprio negócio. Comecei com uma pequena lavanderia na cidade de Osasco, sem nem mesmo ter máquina para lavar uma única peça de roupa. Hoje tenho uma rede de lavanderias com quatro lojas e mais um galpão onde centralizo os serviços. Eu me sinto realizada e muito feliz. Descobri que para ter resultados incríveis na vida e nos negócios não é preciso começar grande: basta ter um sonho grande."

Preste atenção, leitor poderoso! O que você está vivendo faz realmente sentido para a sua vida? Vale a pena acordar todos os dias e viver da forma que está? Se a sua resposta é sim, ótimo. Você está no caminho. Mas saiba que tudo pode melhorar sempre. Agora, se a resposta é não, então é hora de provocar um furacão na sua vida. Foi o que fez a Tatiane Lobato, empresária, dona da rede Magic Clean Lavanderia.

Eu a conheci em setembro de 2015, após o lançamento da palestra "Como virar o jogo na vida pessoal e profissional", no Teatro Folha, no Shopping Pátio Higienópolis, em São Paulo. A minha equipe garimpou esse depoimento fascinante. Não faço ideia das transformações que podem ter acontecido na vida dos indivíduos que deram uma guinada após uma palestra minha ou a leitura de um livro. Sei apenas que esse caso me deixou muito feliz.

O evento foi um sucesso, a casa estava cheia. Foi possível sentir na atmosfera a receptividade do público. Até então eu não conhecia a Tatiane, nem fazia ideia de que, a partir de uma frase que eu reforçava em uma de minhas palestras (e, mesmo com menor frequência, ainda uso), ela transformou a própria vida. Ela escutou um insight, abriu-se para uma possibilidade e gerou uma grande oportunidade.

Isso pode acontecer em diversas circunstâncias para todos nós. O único "método" para aproveitar essa dádiva é manter o estado de alerta e entrar em ação. Sempre escuto perguntas como:

— Leila, o que devo fazer para dar uma boa e produtiva virada de jogo na vida?

"Tenha atitude" é invariavelmente a minha resposta. Faça, experimente, se jogue. Saber e não fazer é a mesma coisa que não saber. Assim como na vida da Tatiane, existe um processo para a virada de jogo. Isso é natural e geralmente nada confortável, porque exige mudança de postura, mas garanto que é muito melhor do que ficar aí reclamando e esperando algo acontecer.

Não existe meia excelência, meia felicidade, meia crise ou meia virada de jogo. Você é e faz acontecer ou nada acontece. As experiências que acumulamos nos levam para o melhor lugar que pode existir para cada um de nós. A vida é uma grande oportunidade, é sucesso, é prosperidade. Se você não está vivendo isso, sabe onde está o entrave? Em você mesmo. Nunca foi tão importante se desenvolver como ser humano, e existem vários caminhos para isso. Um deles é conversar consigo mesmo, sem perder tempo com a "síndrome do coitadinho".

Está acontecendo no planeta uma intensa transformação, e, para alinhar a vida, a carreira ou o negócio às transformações econômicas, políticas e até sociais, é preciso despertar para uma nova forma de se relacionar, pensar, decidir e agir sob várias perspectivas. Isso requer autoconhecimento, autoconfiança e habilidade de gerar alternativas, desenvolver inteligência positiva e ação.

"Nada muda se você não mudar." Essa foi a frase que despertou Tatiane para o mundo, mas nada teria acontecido se ela se resignasse à própria condição, ao enredo da sua história desde a infância.

Quando ela estava para completar 6 anos de idade, seu pai faleceu em um acidente de carro e sua mãe precisou trabalhar para sustentar sozinha cinco crianças. A menina e seus irmãos perderam o pai e a atenção integral da mãe. Tatiane foi criada pela avó, Dona Ieda, dos 6 até os 11 anos.

Ela queria brincar! Sonhava ser pianista, veterinária ou uma grande executiva, mas sua avó dizia que não tinha tempo a perder. Na época Tatiane não sabia, mas sua avó tinha câncer. Por causa da doença, não teria muito tempo de vida e foi embora quando a neta já havia aprendido, mesmo a contragosto, muitas das suas lições.

A partir daí, teve que se virar. Passou a dividir o tempo entre as tarefas domésticas, o cuidado com os irmãos e a escola. Começou a trabalhar aos 13 anos em uma barraca de pastel, depois como office-girl. Aos 17, já era vendedora em lojas de shopping. Entre altos e baixos, foi vivendo e superando muitos desafios, sem desanimar. Decidiu que precisava mudar, e uma luz no fim do túnel surgiu em uma circunstância corriqueira.

Em 2006, Tatiane foi convidada para uma festa e precisava de um belo vestido, mas o dinheiro era escasso. Recorreu a uma amiga e pediu o traje emprestado. Quando foi devolver, queria que estivesse lavado e passado por uma lavanderia profissional para mostrar à amiga o cuidado e o carinho que tivera com a roupa.

Moradora de Carapicuíba, na periferia de São Paulo, Tatiane observou que na região não havia lavanderia. Foi aí que surgiu a ideia que transformou a sua vida. Ela montou uma lavanderia no seu bairro e recorreu à prática dos antigos ensinamentos da avó materna que a criara para ser a mulher ideal.

Segundo os padrões da época, aprendeu a cozinhar, costurar, lavar e passar muito bem.

Pediu demissão do emprego e fez um empréstimo de 10 mil reais no banco, mas com esse valor não conseguiu equipar a lavanderia. Então, decidiu propor parcerias a lavanderias que já tinham o maquinário. Seus recursos eram mínimos! Tatiane trabalhou muito em prol do seu sonho, do seu objetivo. Fazia o máximo que podia com o mínimo de recurso que tinha.

Outros desafios surgiram. Seis anos depois, o mercado ficou estagnado, mas ela precisava fazer o negócio voltar a crescer e dar lucro. Sentia que o fato de não ter completado os estudos com uma graduação era o problema. Havia executado os passos como empreendedora, mas faltava a expertise de administradora. Foi atrás, pesquisou, batalhou, persistiu, arriscou, superou, conquistou e realizou sonhos! Tudo isso começou com a frase "nada muda se você não mudar" ecoando na sua cabeça, e hoje o atendimento da sua rede é voltado para as classes C e D, com uma carteira de mais de 15 mil clientes.

Saber e não fazer é o mesmo que não saber, como eu já disse aqui. Para gerar transformações, é necessário acreditar no sonho e agir! Mas as realizações e a conquista de ideais não acontecem num passe de mágica: os resultados surgem da soma de vivências. Tudo é aprendizado, e o que tenho compartilhado sobre a capacidade de o ser humano virar o jogo e transformar a própria vida é fruto de muito estudo, observação do comportamento humano e acima de tudo de comprovações práticas. Pessoas realizadas e felizes que acreditam em si, arregaçam as mangas e defendem os próprios valores e ideais.

Certo! A esta altura você provavelmente está pensando: "Essas informações são interessantes, mas na prática o que eu faço para virar o jogo?" O primeiro passo é ter consciência de quem você realmente é e do que é necessário mudar na sua vida.

A capacidade de virar o jogo tem a ver com a consciência de si e da situação. Permanecer no campo da teoria e da congestão mental é o oposto de enxergar a realidade e de ter atitude estratégica para conquistar novos níveis de realizações.

Vamos conferir na prática. Pegue um lápis e responda às seguintes questões:

Você está satisfeito com as suas realizações? Por quê?

____

____

____

Qual é a situação que mais o incomoda hoje?

____

____

____

O que você pode fazer para que essa situação mude e você se realize pessoal ou profissionalmente?

____

____

____

Antes de avançar, reflita sobre essas questões. Somente então avalie como você pode virar o jogo a partir destes toques:

- Busque novas situações. Elas permitirão que você se conheça melhor.
- Ataque um problema de cada vez. Desfrute dos êxitos parciais.
- Investigue os caminhos desprezados pelos outros. Arrisque-se.
- Aprenda a aproveitar o seu ócio. Faça dele um recesso criativo.
- Não dramatize a realidade; encare-a como aprendizado.
- Ria de si mesmo e das circunstâncias.
- Seja generoso e agradecido.
- Dê valor ao esforço (o seu e o alheio).
- Procure o significado de cada acontecimento.
- Busque razões para mudar, para variar os caminhos.
- De vez em quando, veja se faz sentido ser autoindulgente.
- Certifique-se de que segue confiando em algo e em alguém.
- Não perca de vista o seu sonho pessoal.
- Lembre-se com frequência de seus principais sucessos.
- Diante de uma grande dificuldade ou problema, pergunte-se: o que de pior pode acontecer?
- Seja feliz, muito feliz!

11 No mundo da lua é que se vira o jogo

VIRAR O JOGO É SINÔNIMO DE MUDANÇA. Virar o jogo é mudar, transformar e até manter o que é necessário desde que a vida flua, as coisas aconteçam e sigam o seu ritmo, nos surpreendendo com as maravilhas que cada um de nós pode viver.

Adoro as metáforas que comparam a vida a um rio. Gosto muito de água, natureza. Tudo isso me remete à liberdade. De uns tempos para cá têm surgido alguns insights interessantes, e, a partir deles, também tenho criado metáforas. Uma delas é que a vida pode ser comparada ao planeta Terra, que está sempre em movimento sobre si mesmo e ao redor do sol.

A lua é uma provocação da natureza que nos ensina a fluidez de uma guinada na vida, de uma virada de jogo com excelência. Dia após dia ela surge anunciando que tudo muda o tempo todo, e cada mudança influencia em muitos aspectos. A constância da mudança é maravilhosa, embora o ser humano não encare isso com tanta facilidade.

Durante muito tempo, enquanto o homem não sabia nada além do surgimento constante daquela bola branca suspensa no firmamento, ela não deixava de cumprir o seu papel, contribuindo com a excelência da vida, na sua rota, no seu eixo. O homem, em vez de seguir a sua caminhada com a mesma naturalidade e consciência de si mesmo, muitas vezes tem se perdido até de si mesmo.

A partir de estudos, pesquisas e do conhecimento do que realmente significa a lua, constatou-se que, no decorrer de um mês, ela mudaria de forma a cada sete dias. Mais tarde, espanto geral! Descobriu-se que a lua nunca muda, embora hoje isso pareça evidente. O fato é que ocorre uma alteração na porção que permanece iluminada pela luz do sol.

Como a lua possui os movimentos de rotação e translação sincronizados, nós só a vemos quando ela é iluminada pelo sol e reflete a luz dele. E, como a lua está em órbita na Terra, durante alguns momentos dessa trajetória a face que permanece voltada para a Terra não recebe luz e fica totalmente no escuro.

Conforme ela vai progredindo em sua órbita em torno da Terra, pouco a pouco sua face voltada para nós vai recebendo iluminação do sol, e assim acontece a lua nova, o quarto minguante, o quarto crescente e a lua cheia.

Embora saibamos agora que ela fisicamente não muda, o que vemos da Terra são fases incríveis: em determinado momento ela está cheia, em outro vazia, às vezes parece que vai crescendo, crescendo e, como num bailado lento, mas firme e determinado, ela surge cheia. Ela representa a transformação, o movimento, a vida, pois vida é movimento. E não tem rotina.

Nas viradas de jogo na vida, eu me sinto como a lua. Às vezes cheia, literalmente cheia de vida, mas às vezes também de saco cheio. E quando isso acontece eu me respeito. Não faço nada, nem me culpo. Assumo a decisão de permanecer assim e curto plenamente o momento.

Em outras ocasiões, assim como a lua, eu me sinto vazia, oca, como se estivesse numa grande escuridão. Apesar disso, não há medo, apenas uma sensação de imensidão, de universo! O vazio é amplo, um lugar onde tudo é possível. Gosto e preciso às vezes sentir esse vazio, a sensação de estar em profundo silêncio. Adoro esses momentos e preservo o meu eu nessa condição.

Às vezes também me sinto lua minguante. É uma sensação interessante! É um "esvaziar-se", esvaindo, entregando-se. E isso também é bom. É relaxante e me faz sentir como se não precisasse de nada. Nessa fase eu deixo as coisas acontecerem, fluírem.

E existe o período de lua crescente. Fase poderosa, criativa, em que se pode sonhar, plantar, planejar, fazer, viver mais intensamente. Nessa fase me sinto revigorada, com energia para todos os momentos. Quando isso acontece, fico radiante, extrovertida.

O mais genial é que às vezes me sinto nas quatro fases no mesmo dia. E isso também não é ruim, mas é preciso ter domínio próprio para administrar bem essa variação!

A Lua e Eu. Eu e a Lua. Será que só eu sou assim? Aos meus olhos, a lua não tem crise: ela se cria e se recria na imensidão do universo. Brilha e se deixa iluminar. Assume com inteireza o seu ser, a sua essência. Oferece o que tem de melhor, sem escolher a quem e sem cobrar de ninguém. Mas, na sua intimidade, reserva-se sem se culpar. Admite ter diferentes fases, sem deixar de ser ela mesma.

Tenho ainda muito o que aprender com a lua, mas o que "descobri" sobre ela até aqui me faz crer que é possível ir muito mais longe sem me perder de mim. Observe a lua e veja como você se identifica com ela. Para virar o jogo é interessante estar no mundo da lua.

12

Mudanças geram riscos... e valiosas oportunidades!

HÁ UNS QUATRO ANOS, no alto da minha maturidade, venho passando por um intenso processo de mudança pessoal. Para muitos, isso pode soar estranho, mas eu provoquei várias dessas mudanças. O processo não é muito diferente do que enfrentei no Himalaia.

Eu morava sozinha em uma cobertura duplex no Morumbi, em São Paulo. Cada um dos meus três filhos tomou o próprio rumo e continuei confortavelmente instalada naquele espaço. Eram mais de 300 metros quadrados, o apartamento que eu sonhava! Um lugar luxuoso, decorado com os mais modernos conceitos. Nas paredes, cores neutras contrastavam com tintas marcantes, como os traços da minha própria personalidade. De cada ângulo do apartamento viam-se móveis diferenciados. Peças de decoração de diversos lugares do mundo preenchiam os ambientes. Além da ampla estrutura interna, eu ainda contava com um espaço de piscina e churrasqueira rodeado de plantas enormes.

Com um ritmo intenso de trabalho, quando eu chegava àquele lugar, o espaço em que eu logo me recolhia era a suíte, com a minha incomparável banheira. Sempre gostei de banhos relaxantes, e isso me dava muito prazer.

Havia espaço para receber amigos, realizar entrevistas e reuniões de negócios. Algumas vezes cheguei a promover workshops para grupos, e nessas ocasiões eu oferecia inclusive as refeições, sem que isso fizesse as pessoas se esbarrarem. Tudo parecia perfeito, o estilo ideal para usufruir sem cerimônia. Até que um dia me dei conta que em vários ambientes do apartamento eu não entrava havia meses. Aquilo passou a me incomodar. Não fazia sentido.

Percebi que precisava de uma pessoa para cuidar da rotina da casa e de outra para fazer serviços especiais. Era necessário limpar a piscina constantemente e tratar a água. Entre as plantas que eu mantinha, havia um pé de jabuticabeira. Como eu passava dias fora de casa, precisava de alguém que pudesse gerenciar a manutenção de toda a estrutura.

Apesar de ter desejado e investido tanto naquele imóvel, decidi mudar para outro local e, dos trezentos e poucos metros quadrados praticamente sem uso, fui para outro apartamento, agora com quase 130 metros, em Higienópolis.

Com a mudança de espaço, tive que me desfazer de muitas coisas. Uma parte delas eu vendi, outras doei. Algumas pessoas até queriam determinadas peças, mas não tinham espaço para acomodá-las. Elas eram parte da identidade daquele espaço amplo. Quase tive que pagar para me desfazer dos móveis gigantes!

Quando me vi no apartamento com menos da metade do espaço do anterior, senti uma satisfação temporária. Logo a consciência de um novo incômodo surgiu. Desta vez comigo mesma. Talvez pelo tamanho do espaço disponível antes, eu não me dava conta, mas um dia parei na frente do espelho e vi o quanto estava imensa. Subi na balança e levei um susto. Os ponteiros denunciaram o que na verdade eu já estava sentindo nas articulações.

As roupas de que eu gostava já não tinham mais o mesmo caimento. O fôlego já não era o mesmo. Ao assistir a uma entrevista ou a um vídeo, eu já não me reconhecia. Aquilo tudo não tinha sintonia com o que existe dentro de mim. O que eu enxergava no espelho era incompatível com o meu eu. Então, provoquei mais uma mudança.

Com o apoio de especialistas, entrei no ritmo "xô gordura". Segui todas as recomendações e procedimentos médicos. Alguns meses depois, a minha aparência física mudou radicalmente. Com a gordura, também foram embora alguns entraves emocionais que eu nem percebia, mas estavam retardando o meu ritmo. Novas possibilidades surgiram! Passei a cuidar melhor da saúde, da vida, das minhas coisas e até das finanças.

Toda mudança tem o seu preço, e emocionalmente não é fácil, mesmo quando desejamos que ela aconteça. Mudar de casa, por exemplo, acarretou uma série de outras decisões, tanto afetivas, de relacionamentos, de prioridades, quanto de desapego, e isso desestabiliza. Me propus uma nova condição que eu desejava experienciar, embora não tivesse noção exata de tudo que estava envolvido.

Cada mudança carrega em si a incerteza, o medo do desconhecido, o receio, uma dose de dúvida... Antes de tomar uma decisão existem os questionamentos, as ponderações, e tudo isso faz parte do processo. E superei tudo com muita alegria. Revivi. Sentia a vida fluir de forma diferente, e a atmosfera mudou ao meu redor. Exatamente nesse período fui convidada para fazer uma sessão de fotos sensuais! Achei o máximo! Aceitei o desafio e fiquei muito feliz com o resultado.

Quando faltava pouco tempo para completar dois anos de apartamento novo, já trinta e poucos quilos mais magra, parecia tudo tranquilo e estabilizado. E foi aí que um novo incômodo surgiu! Mesmo sem ser conscientemente percebida, às vezes não refletida nem observada, a vida tem a sua harmonia, e quando algo parece nebuloso é importante ficar atento. Foi aí que tomei consciência de coisas que já eram verdades para mim, mas faltava sincronia.

Se um alienígena observasse a galáxia durante alguns instantes, a sua avaliação sobre a Terra provavelmente não seria determinada pela beleza da paisagem, pelo avanço tecnológico ou pela diversidade e riqueza da nossa produção cultural. Ele seria implacável, curto e grosso: "Esse é o mundo do desperdício e da exclusão." Pior! Diria: "Leila Navarro faz parte disso."

Foi com esse tipo de pensamento que olhei para aquele apartamento de 130 metros quadrados e percebi que acumulava muito mais do que precisava. E aquilo tudo foi se tornando mais peso que conforto. Não demorou muito e eu já estava decidida.

Conversei com meus filhos e comuniquei que logo me mudaria para um apartamento de 50 metros quadrados. Eles surtaram. Quiseram fazer um exame de sanidade mental em mim. Disseram que eu não caberia em um espaço tão pequeno, e respondi que, se fosse necessário, emagreceria mais.

A princípio eles duvidaram que eu faria mais essa mudança. Depois entenderam as minhas argumentações, e isso já é realidade. Passei por um novo processo de desapego, de reestruturação, de reavaliação quando tive que transportar a minha vida de um espaço de 130 para 50 metros quadrados. Encarei o exercício do desapego das coisas não como uma perda, e sim como uma oportunidade para vivenciar algo novo. Física e emocionalmente, me coloquei pronta para novas aventuras.

Hoje estou mais feliz. Me sinto no eixo com a minha nova condição de vida. A máxima que diz "menos é mais" eu venho experimentando, e a cada dia entendo um pouco mais desse inexplicável prazer de sentir-se pleno não pelo que se tem ou pelo que se faz, mas pelo que se vive e é capaz de realizar. A recompensa tem sido muito melhor do que eu esperava. Estou pronta para realizar muito mais coisas do que imaginava.

Uma das maiores experiências e aprendizado na mudança para um espaço com 50 metros quadrados foi dar tempo e importância ao que realmente merece. Parece até que o espaço na agenda expandiu e eu estou mais disponível para cuidar de mim e dos meus. Faço muito mais coisas sem acionar o piloto automático e me preocupo bem menos com coisas irrelevantes. Os autistas prestam mais atenção às coisas do que às pessoas e se cercam num mundo exclusivamente deles. Vivi um período da vida assim, centrada em coisas. Com as experiências e a busca por autoconsciência, percebi as ciladas emocionais que me envolviam e decidi romper esse ciclo. Só então consegui enxergar e dar importância a momentos, relacionamentos, ideias, projetos e sonhos que eu nem percebia, mas que importavam de fato.

Para que isso aconteça, não é necessário promover esse tipo de mudança. Essa não é a regra. Mas foi a minha forma de virar o jogo, porque eu precisava me desapegar. Foi um processo intenso, que envolveu emoções e sentimentos. Superei gradativamente, enquanto ia me reencontrando. Cheguei a um ponto em que já me considerava uma budista desprendida e iluminada.

Foi numa circunstância especial que reencontrei um amigo monge e, entusiasmada com a nova fase, anunciei, convicta de que tinha feito realmente algo que se nivelasse à filosofia:

— Agora sou budista. Desapeguei de tudo e moro em cinquenta metros quadrados.

Sem esboçar surpresa, o monge olhou bem nos meus olhos e respondeu:

— Leila, o desapego é interno. Você pode morar onde quiser. O que realmente tem sentido é o que você carrega dentro de si.

Ao ouvir isso, quase voltei para a cobertura. Mas logo retomei a consciência e percebi que havia me expressado de maneira superficial. O espaço físico realmente não era mais importante, embora eu precisasse dessa experiência. O fato é que as transformações internas que vivi não tenho como descrever. São imensuráveis. Eu me sentia alinhada, congruente física e emocionalmente. Todas as decisões tomadas até ali me colocaram no eixo, no meu próprio eixo. Concluí que, de verdade, viver intensamente cada ciclo da vida é questão de decisão. Manter-se alinhado com o seu propósito de vida é vital.

13

A desconstrução do ter para encontrar o ser

IMAGINE-SE COMO PARTE DE UM GRUPO com 50 pessoas. Por uma questão de ordem e estratégia, esse grupo é separado em dez equipes, cinco membros em cada uma. O planeta Terra sofre uma iminente ameaça. Um meteorito gigante vem se aproximando, e em poucos minutos haverá grande destruição.

Pouquíssimas pessoas sobreviverão a esse impacto sem precedentes. A única alternativa são algumas naves, capazes de levar um número bastante reduzido de tripulantes para outro planeta. Essa é a única condição para garantir a continuação da espécie humana.

Para isso existe uma condição: das cinco pessoas de cada grupo, somente três terão a chance de salvar a própria vida. Em poucos minutos o grupo deve resolver quem vai para a nave. Que argumentos você tem para defender a sua sobrevivência?

Uau! Essa é uma experiência tremenda! Durante uma vivência, o consultor propôs essa dinâmica, e eu fiquei impressionada com as ideias de autodefesa que passaram pela minha mente. Afinal, estaria defendendo a minha própria vida. E na minha cabeça logo veio o motivo pelo qual deveria ir para o abrigo. No alto da minha delirante defesa, eu disse que ajudaria no pós-trauma da catástrofe. Eu montaria uma tenda e, com meus próprios recursos terapêuticos, ajudaria as pessoas a enfrentar essa nova fase de vida.

Fomos informados de que cada membro do grupo teria um minuto para sua autodefesa. Éramos quatro mulheres e um homem, que logo defendeu seu posicionamento:

— É importante que eu vá para a nave. Deste grupo eu sou o único que pode colaborar com a reprodução da espécie!

E ele permaneceria com essa retórica se não descobríssemos depois que o distinto havia feito vasectomia. No desespero para manter a vida, mesmo sem saber exatamente "por quê" ou "para quê", as pessoas se apoiam no instinto de sobrevivência.

Em seguida, uma colega com 20 anos a menos que eu anunciou, enfaticamente:

— Eu não quero ir para o abrigo. Se todas as pessoas que eu amo vão morrer, que sentido faz eu ficar viva?

Fiquei chocada! Como os seres humanos são diferentes! E não há certo ou errado. Isso depende da perspectiva de cada um. Pela minha cabeça em nenhum momento passou essa questão. Como uma pessoa pode descartar a chance de viver sem ao menos tentar alguma possibilidade? Pensei em mim e além de mim, mas nada de me render ao colapso e à destruição do planeta.

Viktor Frankl, psiquiatra e escritor alemão, foi confinado durante a Segunda Guerra Mundial em Auschwitz, Dachau e outros campos de concentração na era nazista. Essa experiência e sua formação geraram uma profunda reflexão sobre o sentido da vida, que ele expressou em vários livros, entre os quais se destaca *Em busca de sentido*.[1]

O livro é uma narrativa dramática e comovente da situação--limite no campo de concentração. O autor observou a si mesmo e aos demais durante a Segunda Guerra Mundial e descreveu o que sentiu com um realismo impressionante.

Durante o tempo em que permaneceu preso, Viktor Frankl ignorava o destino de sua mulher e de sua filha, e o que amenizava a dor e o sofrimento era o seu propósito de vida. Ele sonhava com a liberdade, com a sua família novamente reunida, com o fim daquela agonia terrível. Isso alimentava a sua alma e o fez perceber que as pessoas, cujo desejo de sobreviver era ardente, possuíam maior capacidade de sobrevivência. Elas possuíam um sentido para justificar suas vidas.

Muitos querem dar uma guinada na vida, querem virar o jogo, desejam ser realizados, prósperos e bem resolvidos, mas nunca pensaram em qual o propósito de tudo isso!

Todos nós temos a capacidade de virar o jogo, mas o motivo que nos impulsiona a isso é o que determinará a concretização dessa virada. O livro de Viktor Frankl diz: "Quem tem um 'porquê' enfrenta qualquer 'como'." E isso é real. Tem gente que fica esperando da vida o "dia D", o golpe de sorte, e não se mexe para conquistar o que deseja, o que sonhou. Para

---

1. *Em busca de sentido*, de Viktor Frankl, 1946, retrata a experiência do autor como detento em um campo de concentração, descrevendo o método psicoterapêutico que ele desenvolveu para encontrar uma razão para viver.

conquistar aquilo que vai trazer sua felicidade! Essas pessoas permitem que os pensamentos pessimistas, os medos e a apatia tomem conta da situação e vão deixando a vida passar, as coisas acontecerem, as oportunidades irem embora.

Leitor, você tem um propósito de vida?

O que o faz levantar da cama todos os dias?

Essas perguntas são sérias e profundas. Em vez de ficar perguntando o que a vida tem para oferecer, busque saber o que você pode oferecer para a vida. Essa é uma responsabilidade pessoal e intransferível. O que a vida espera de você? Fique atento. Esteja alerta.

Chega de ficar esperando o que podem oferecer para você. Cave suas próprias oportunidades, crie o seu próprio universo. O que você pode fazer para ter mais vida? Desconstrua o que for necessário para encontrar o seu próprio eu, e aí sim terá clareza para promover a guinada necessária.

Enquanto eu desenvolvia este livro, participei de um importante evento chamado Lab60+, um festival da longevidade. Durante três dias foram discutidas, de forma criativa e envolvente, questões sobre a emergente força da senioridade. No encerramento eu fiz um stand-up life inédito, com o tema "A longevidade chegou. E agora?". Foi uma experiência maravilhosa.

Algumas semanas antes da realização do evento, estive em uma reunião com pessoas da terceira idade, da melhor idade, de qualquer idade ou dos sem idade, como queira definir, e muitas coisas se descortinaram para a minha vida.

No início dessa reunião os participantes tinham que se

apresentar. Observei que cada um ia se levantando e iniciava a sua apresentação com um "eu fui": eu fui gerente de banco, eu fui professora, eu fui atleta, eu fui advogado.

Fiquei indignada, e dentro de mim diversas perguntas surgiram. Eram tantas que eu imaginei que quem estava ao meu redor conseguiria escutar, tamanha a minha perplexidade: "Gente, o que acontece com essas pessoas? Por que elas falam sempre 'eu fui'? Elas não são mais? Como assim? Eu sou Leila Navarro! Eu sou palestrante motivacional, eu sou isso, eu sou aquilo." Pelo fato de ter muito claramente dentro de mim quem eu sou, aquela situação me incomodou muito.

Saí da reunião pensando qual seria o motivo para aquelas pessoas se posicionarem daquele jeito, resignadas a um "eu fui", como se isso fosse suficiente. Será que elas não podem ser mais nada nesse tempo de idade madura? Será que têm que ficar à disposição porque agora têm um tempo que não pensavam que teriam e por isso se sentem culpadas? Toda cheia de razão, fiquei inconformada com esse "eu fui".

Algumas horas depois, a ficha caiu. Tudo que nos incomoda está diretamente ligado a nós. A indignação é como uma flecha no centro da iniciação do desenvolvimento como ser humano. E eu me dei conta de que aquelas pessoas já tinham desapegado de uma das coisas que considero mais difíceis de desapegar: o senso de importância, o poder, a utilidade. Foi então que surgiu dentro de mim a pergunta: "Por que eu não posso ter sido e hoje estar aberta a não ter papéis, mas a ser presente e estar presente?"

Segundo Viktor Frankl, "quando a circunstância é boa, devemos desfrutá-la; quando não é favorável, devemos transformá-la, e quando não pode ser transformada, devemos transformar a nós mesmos." Isso faz total sentido. Importantes viradas de jogo, transformações bem-sucedidas, respostas surpreendentes deixam de acontecer porque as pessoas se apegam, se posicionam no "ter" e deixam escorrer pela vida oportunidades incomparáveis.

Mudar de um apartamento de 150 metros quadrados para um de 50 não foi apenas uma questão de estrutura física. Foi muito mais que isso! As mudanças são exercícios de desapego, de descoberta de inutilidade, de desconstrução do ter para encontrar o ser. Mudar tem a ver com o propósito de vida, o encontro da essência do eu.

Uma amiga, entusiasmada com o que considerou uma "aventura divertida", estava sendo "forçada" a um processo de mudança e resolveu seguir os meus passos. Com o fim do casamento, acostumada a uma rotina confortável em um amplo e bem decorado imóvel, ela decidiu dar uma guinada e partir para outra de uma forma diferente.

Encontrou um apartamento aparentemente adequado para a sua nova fase de vida e mudou, levando na bagagem todos os móveis e objetos afetivamente inseparáveis. Obviamente não coube tudo na casa nova, e ela, em vez de desfrutar de um novo recomeço, emperrou projetos, bagunçou ainda mais suas emoções e ganhou um monte de hematomas no corpo. Com o espaço pequeno, esbarrava nos móveis e se machucava sempre que circulava no novo lar. Carregou consigo muitas bagagens emocionais e, em vez de fluir, retrocedeu. O que parecia a oportunidade para uma grande virada se tornou um peso — deixou de explorar o seu momento com mais leveza.

As mudanças servem para nos tirar da zona de conforto, e para aproveitar o melhor delas é preciso desapegar do que não serve mais para a nova fase da vida. A experiência de uma pessoa pode não ter o mesmo resultado para outra. O que significa o momento ideal para um indivíduo pode ser diferente para outro. As viradas de jogo devem ser conduzidas de acordo com os valores e o propósito de vida de cada ser humano. Ser bem-sucedido em um projeto, mudança ou ação depende muito mais da autoconsciência do que de um roteiro de métodos.

Para encarar as mudanças é necessário gerar alternativas, sem pensamentos condicionados ou parâmetros alheios. Ficar como espectador diante das metamorfoses no mundo também não é uma boa alternativa. Para virar o jogo, é necessário fazer da mudança uma força positiva, centrada em seus propósitos e não no que deu certo para o outro, seja qual for a área da vida. Para isso, vale considerar alguns aspectos.

1. Tenha um propósito vital que abarque a vida pessoal e profissional. Quando um escoteiro entra na mata, jamais deixa de levar sua bússola. Ele pode percorrer milhas, encontrar barreiras, se afastar da trilha, mas sempre terá um norte. Faça da mesma forma na vida. Sem um norte, um propósito, não há rumo nem desafio. E sem desafio não há mudança. É vital ter um propósito, algo que o ajude a permanecer firme e confiante, mesmo com os altos e baixos da vida.

2. Reconheça seus preconceitos e se livre deles. Quebre paradigmas! Desde que seja de forma ética, rompa as regras. Quando nos limitamos aos preconceitos, perdemos a oportunidade de construir novos relacionamentos, ficamos presos a padrões, culturas, experiências e pessoas. Ao rompermos essa barreira, somos conduzidos a novas e promissoras perspectivas.

3. Programe-se para um autodiálogo positivo e a troca de ideias com seus pares. Lembra-se da história de escolher feijão? Quando fazemos isso percebemos que a quantidade de feijões bons é incomparavelmente maior. Na vida é a mesma coisa — temos muito mais possibilidades positivas que negativas. Pessoas que ficam focadas no "feijão ruim", neste caso as suas próprias ideias, sem se permitir crescer com novos saberes, têm dificuldade para encarar as mudanças. Quando estamos abertos para novas percepções, as "lentes" se ampliam e nós enxergamos novas possibilidades.

4. Assuma os reveses da vida como oportunidades de aprendizado. Já aconteceu com você de uma situação momentaneamente ruim se transformar em uma boa oportunidade? Em determinado período da vida eu tive que encarar um divórcio. Na época foi terrível, mas, passado algum tempo, decidi transformar o drama em uma comédia romântica. Entendi que nada muda se eu não mudar, e que na vida não existe bom nem ruim. Tudo serve como aprendizado. Quando encaramos os obstáculos como oportunidade de desenvolvimento, geramos uma força mental positiva e aumentamos as chances de encontrar novos caminhos.

5. Desapegue-se das expectativas. Muitas pessoas ficam na expectativa, seja positiva ou negativa, e acabam travando com o foco em uma única coisa. Quando surgem outras possibilidades, não conseguem enxergar. Lembre-se de que a vida é movimento, é atitude, é ação! As oportunidades devem ser aproveitadas. A vida é uma experiência, e a experiência é o melhor. Então levante-se agora e crie ações estratégicas para romper as próprias expectativas.

14

A mudança é uma inesgotável fonte da juventude

"SEJA A MUDANÇA QUE você quer no mundo", assim dizia Dalai Lama. Mudar nem sempre é uma coisa fácil, mas nunca foi tão necessário se manter atento às mudanças ou mesmo provocá-las. Em geral detestamos sair da rotina, porém isso nos faz progredir, fortalecer e até rejuvenescer! Além das minhas próprias experiências, já acompanhei histórias de pessoas que sofreram horrores com os acontecimentos da vida e, depois de um tempo, observaram que no caminho do deserto avistaram um oásis. Isso é maravilhoso. Algumas mudanças são impiedosas, mas necessárias.

Costumo dizer que as pessoas adotam três tipos de comportamento distintos quando o assunto é mudar, sair da zona de conforto e se atirar no desconhecido. Não se pode dizer que um grupo é melhor ou menos favorecido que outro, mas certamente o resultado de cada um dos comportamentos nos faz perceber qual é o melhor posicionamento. A partir da identificação de um comportamento é possível mudar as atitudes sem afrontar a própria essência:

- **Anestesiado**. Este grupo reúne as pessoas que levam a vida como se nada mudasse ao seu redor. Vivem como que hipnotizadas. Os filhos cresceram, a carreira está praticamente em extinção, a empresa faliu, as exigências de mercado evoluíram, o estilo ficou antiquado, mas nada as incomoda. Convivem com expectativas irreais e geralmente reagem com surpresa e indignação quando se dão conta de que o tempo passou, as coisas mudaram e sua vida está em completa defasagem.

- **Conectados.** Aqui estão as pessoas que anteveem a mudança, planejam e alteram o que é necessário, mesmo que suas decisões gerem algum desconforto. Elas entendem que sair da zona de conforto pode até ser difícil, mas manter-se acomodado pode gerar consequências devastadoras, talvez irreparáveis. Aqui se encaixam aqueles profissionais que atingiram determinado patamar na carreira, mas, ainda que estejam satisfeitos com a empresa ou com os projetos que desenvolvem, permanecem atentos aos cenários e constantemente buscam reciclar, ampliar ou aperfeiçoar seus conhecimentos e experiências.

- **Promotores.** Neste grupo estão os empreendedores, inovadores e ousados. Pessoas que estão sempre prontas a tornar real uma ideia, mesmo que esta desafie o status quo. Em meio à aparente mesmice, vislumbram algo que fuja do convencional, que proponha novos rumos, alterações de conceitos, quebra de paradigmas. Têm em mente que o impossível é apenas algo ainda não realizado e não têm receio de correr riscos. Aliás, desafiam o desconhecido.

A Índia é um lugar que me confronta, me desestabiliza, me tira da zona de conforto. Já estive naquele país seis vezes, conheci lugares mágicos e vivi experiências singulares em cada uma das viagens. É a segunda nação mais populosa do mundo, a sétima em área geográfica e proporciona uma vivência profunda no verdadeiro sentido do que se entende por paradoxo. Na Índia não se deve ter a pretensão de entender nada, apenas viver intensamente o presente.

O meu primeiro contato com esse país aconteceu em 2005, numa fase em que eu precisava reencontrar o meu feminino — provocar mudanças em mim. Na Índia não é preciso fazer nada para que isso aconteça, pois tudo colabora: cor, som, música, dança, leveza, aroma, flor, paciência, quietude, submissão, aceitação, adoração, contemplação, espiritualidade. Ao mesmo tempo, é um verdadeiro caos.

Eu estava em plena ascensão como palestrante profissional e sentia como se não houvesse limites — um verdadeiro trator. Vinha conquistando reconhecimento, dinheiro, aprovação, fama e, no meio do caminho, deparei com uma paixão avassaladora, dessas que arrancam suspiros e fazem olhares se perderem no horizonte. Aquilo para mim era um contrassenso.

No mundo dos negócios, diante da vida agitada e competitiva, como poderia eu pensar em amor e paixão? Fiquei em dúvida: eu queria mas não podia, ou podia mas não queria? Eu até achava que uma história assim poderia acontecer com outras mulheres, mas nunca comigo. Imagine! Uma mulher poderosa loucamente apaixonada, com as emoções à flor da pele, frustrada e desiludida por causa de um amor não correspondido!

Pois é, mas aconteceu. No esplendor da maturidade, realizada profissionalmente, com filhos criados e um divórcio cicatrizado, eu me sentia plena e bem resolvida. Não estava à procura de um relacionamento amoroso, mas achava que tinha condições de lidar com isso tão bem quanto lido com outras áreas da minha vida. Pois a paixão surgiu, de maneira fulminante e com uma força arrasadora, e me fez perceber várias coisas.

Num 11 de setembro, dia em que o mundo lembrava o atentado a Nova York, minhas torres também foram ao chão. Tive o clique, senti a flechada do cupido. Primeiro relutei em aceitar que estivesse acontecendo comigo. Apaixonada, eu? Bobagem. Mas, depois que as resistências caíram, resolvi assumir o fato.

Virei adolescente de novo. Contava para todo mundo que estava apaixonada, quem sabe tentando "gastar" o sentimento logo. Mas o sentimento não "gastou", e eu resolvi partir para a conquista amorosa com a objetividade de quem persegue resultados, a agressividade que mostro no mundo do trabalho, e caí do cavalo.

Essa experiência me fez perceber duas coisas: primeiro que, por ter sucesso profissional, eu me considerava feliz e completa. Com o passar dos anos, cada vez mais identificada com os resultados que obtive na vida, fui me fechando para os relacionamentos amorosos, a ponto de achar que mulher poderosa não precisa "dessas coisas". Pelo visto muita gente pensa o mesmo, considerando as reações que presenciei ao comentar sobre minha desilusão amorosa. Eram opiniões do tipo: "O quê? Você se apaixonou? Foi rejeitada? Você sofreu!", como se a paixão arrasadora e a desilusão não pudessem acontecer com alguém que está "dando certo" na vida.

Também descobri que, justamente por causa da intensa dedicação à carreira, acabei restringindo meu modo de ser aos comportamentos que se esperam de uma mulher que persegue o sucesso no mundo dos negócios. Durante um período ele e eu trocamos muitos e-mails. Eu sempre direta e objetiva, ele poético, refletivo, calmo, zen, totalmente zen.

Eu vivia no piloto automático, num padrão de reações e atitudes que funcionavam no trabalho, mas não num relacionamento amoroso. Até perceber que estava usando no jogo do amor as mesmas estratégias do mundo dos negócios. E é claro que não deu certo. Estava tão focada em meus objetivos que não fui capaz de estabelecer uma troca verdadeira e enriquecedora com o homem por quem me apaixonei. Foi em busca do resgate do feminino que embarquei para a Índia pela primeira vez.

O caso de amor não deu certo, mas, inspirada pelos encantos da Índia, tive uma ideia empreendedora: transformei a história em business. Todo o conteúdo do livro *Grandes egos não cabem no avião*, lançado em 2006, foi a forma descontraída e bem-humorada que encontrei de canalizar meus sentimentos e emoções.

Em tudo há um lado bom. A habilidade de virar o jogo depende quase que integralmente da disposição interna, da percepção pessoal. Os fatores externos influenciam, sim, mas deles é possível extrair "apenas" experiências, conhecimento, novas ideias, capacidade de análise e criação de novas possibilidades. A mola propulsora da mudança está dentro de cada um de nós.

O pensamento e a atitude positiva fazem total diferença. Estudos da neurociência já comprovaram que, para cada notícia negativa, o cérebro humano exige pelo menos cinco informações positivas para neutralizar o pessimismo e a falta de confiança. Uma mente negativa e improdutiva leva à estagnação emocional, pessoal e profissional.

Perceber os prejuízos que algumas atitudes causam e mudar a forma de se comportar não é fácil, mas é extremamente necessário, e pode ser o início da modificação de comportamentos inadequados para comportamentos mais eficazes.

15

O caminho se faz ao caminhar. As viradas de jogo também!

HISTÓRIAS DE VIDA SÃO sempre fascinantes, mas, ironicamente, é difícil eu me pegar buscando no baú das memórias os acontecimentos que me fizeram chegar até aqui. Talvez porque eu seja uma sagitária enlouquecida, sempre com a flecha direcionada para a frente, para o futuro, embora reconheça que estou onde estou porque foram justamente as experiências vividas que me transformaram e me impulsionaram para crescer como gente!

Chegamos ao mundo como uma tela em branco e podemos dar o tom que quisermos à nossa vida, mas o ser humano é um bicho realmente esquisito. Nasce sem trazer nada e morre sem levar coisa nenhuma, mas no meio do caminho briga pelo que não trouxe e pelo que não vai levar. Em vez de colorir sua tela, apenas rabisca alguns traços e não vive com intensidade as oportunidades que surgem no caminho. Ter consciência disso nos faz acordar e aproveitar melhor a vida.

Na frenética euforia da conquista, da defesa do ***ter*** em vez de viver a experiência do ***ser***, muita gente deixa à margem a fascinante experiência de aprender na caminhada. Com isso, perdem boas oportunidades de se surpreenderem e virar o jogo.

Às vezes nem sei claramente o porquê de algumas mudanças que promovo e de tantas outras que são promovidas na minha vida, mas a cada dia tenho mais certeza de que, como diz um ditado chinês, "a vida é como é e, como é, é perfeita". Não precisamos entender a vida, e sim viver intensamente cada momento, sentir as emoções que afloram em nós e permitir que os insights e a intuição nos conduzam para novas descobertas.

Na minha segunda viagem à Índia, incluí no roteiro uma missão. Nem imaginava que seria mais um mergulho de autoconhecimento. E, às vezes, o que "descobrimos" em nós não é exatamente o que consideramos admirável. Então, é nesses momentos que temos a oportunidade de ampliar a consciência e virar o jogo, provocando as mudanças necessárias.

Eu queria conhecer a Fundação Vicente Ferrer, localizada em Anantapur, uma região desértica cuja população, em sua maioria, era formada pelos chamados intocáveis ou dalits — pessoas pertencentes à quinta casta. Na época o próprio Ferrer, idealizador e fundador do trabalho, ainda era vivo.

Essa fundação se originou do sonho de um homem que provocou mudanças e viveu grandes experiências. Nascido em Barcelona em 1920, desde cedo ele sentia o apelo de cumprir o seu maior desejo e vocação: ajudar os outros. Foi esse o mote que o levou a ingressar muito jovem na Companhia de Jesus (instituto religioso da Igreja Católica fundado por Santo Inácio de Loyola e seus companheiros em 1540). O jovem jesuíta partiu para Bombaim em 1952, como missionário, para completar o seu treino espiritual.

Da convivência com os elevados contrastes socioculturais da Índia nasceu a dedicação extrema àquele país. Durante toda a sua vida, Ferrer trabalhou com o objetivo de diminuir o sofrimento dos pobres por meio de um projeto que inclui escolas, moradia e hospitais, além de alojamentos e restaurantes para todos os voluntários e trabalhadores que se concentram em prol do mesmo objetivo. Tudo conseguido por meio de doações de europeus, principalmente espanhóis. É um trabalho poderoso.

Vicente Ferrer encontrou muitas dificuldades na sua luta pelas desigualdades sociais na Índia. As classes dominantes viram no seu enorme apoio aos mais desfavorecidos uma ameaça ao seu poder. O desconforto chegou a extremos: Ferrer recebeu das autoridades de Maharastra, o segundo dos 28 estados mais populosos da Índia, uma ordem de expulsão do país. A repressão provocou protestos por parte do movimento dos agricultores, assim como de alguns intelectuais, políticos e figuras religiosas. E o padre jesuíta continuou com o seu trabalho.

Para chegar à Fundação Vicente Ferrer, o caminho é muito difícil, mas eu estava animada! Quando cheguei, vi que a organização ocupava uma área muito grande e, ansiosa, fui procurar a secretaria. Na busca por informações, entrei em uma sala onde estava sentado, atrás de uma mesa, o próprio Vicente Ferrer.

Por alguns segundos, fiquei parada, sem acreditar... Eu estava diante de uma pessoa que vinha fazendo a diferença na vida de milhões de indianos em estado de miséria. Feliz, praticamente de plumas e paetês, eu me apresentei para oferecer a minha "ajuda -show"!

— Olá, senhor Vicente Ferrer, sou Leila Navarro, do Brasil, e vim para ajudar — anunciei, eufórica. Naquela circunstância, eu achava que a minha simples intenção já valia como colaboração! Calmo, sem esboçar emoção, o meu interlocutor simplesmente respondeu:

— Eu não pedi nada para você! O que veio fazer na Índia?

— Vim a Mumbai conhecer a terapia do riso[2] — respondi, meio sem graça. Eu sabia que essa terapia não se baseia apenas em dados filosóficos, mas também em elementos científicos. O riso envia ao cérebro um comando, por meio do hipotálamo, para que ele produza um grupo de substâncias conhecidas como endorfinas, mais especificamente as beta-endorfinas. Elaboradas nas ocasiões em que as pessoas se encontram bem -humoradas, elas detêm um potencial analgésico, semelhante ao da morfina, porém com um potencial cem vezes mais ampliado. Mas, naquela ocasião, tudo isso pareceu insignificante.

— As pessoas estão com fome e você diz para elas sorrirem! — replicou Vicente Ferrer.

— Quero conhecer o trabalho do Sathya Sai Baba[3] — argumentei, já sem muito entusiasmo.

— As pessoas estão com fome e você diz para elas materializarem cinzas!

2. Os Clubes da Gargalhada são considerados um fenômeno mundial. Começaram no ano de 1995, em Mumbai, na Índia, com apenas cinco pessoas gargalhando, sob a orientação de Dr. Madan Kataria, e hoje existem mais de 6 mil clubes, espalhados em mais de 60 países.

3. O guru Sathya Sai Baba foi um dos mais famosos e influentes líderes religiosos da Índia. Ele também ficou conhecido por materializar objetos.

Diante das respostas pouco amistosas, desmontei. Só então notei que logo atrás de mim estava uma moça, atenta à minha apresentação nada triunfal. Diante do meu embaraço, ela rapidamente se dispôs a apresentar o trabalho realizado na fundação. Era uma das voluntárias, e sua intervenção foi como uma advertência.

— Vicente, vou levar a senhora Leila Navarro para saber mais a respeito do nosso trabalho.

Sem tempo para qualquer comentário, fui conduzida para fora da sala. Mesmo embaraçada com a situação, procurei recompor o entusiasmo o mais rápido possível. Gentilmente, a voluntária espanhola dedicou um tempo para me fazer compreender a complexidade da empreitada realizada na organização e as necessidades daquele povo tão sofrido e discriminado.

Quanto mais eu conhecia o trabalho, mais me dava conta da falta de respeito que tivera com a Fundação Vicente Ferrer e com o seu idealizador. Cheguei disposta a ajudar, mas não me preocupei em saber de antemão quem eles realmente eram, quais as suas necessidades e como eu poderia ser útil. Estava no meu eu, no meu ego, no salto, e achava que a minha presença faria total diferença. Na verdade, o que eu tinha para oferecer eles dispensavam!

Aprendi uma lição importante naquela ocasião. Ao conhecer a história da fundação e tudo o que havia sido feito no decorrer dos anos, caiu a ficha: o mundo não gira em torno de mim. Para cooperar com as pessoas e com o mundo, é preciso criar empatia e ter humildade.

Como pude pensar que alguém que havia décadas vinha fazendo um trabalho de base que incluía mutirões para a construção de casas, escolas, hospitais, galpões de artesanato para ser vendido na Europa, que trabalhava com uma seriedade única, poderia receber com festa e alegria alguém que aterrissa do Brasil e diz: "Cheguei!"?

Ninguém é indispensável. Se você não aproveitar as oportunidades e não desenvolver os talentos e habilidades que tem, vem outro e faz no seu lugar. E a engrenagem continua! Quem se considera a "última cocada" em geral tem dificuldade para enxergar o outro como legítimo outro, e por isso perde grandes oportunidades de realizações e experiências. Ao me dar conta disso, baixei a bola e aproveitei para aprender mais sobre o ser humano e crescer como pessoa.

A jovem espanhola sugeriu que eu ficasse alguns dias naquele lugar para conhecer melhor o trabalho. Ela já estava ali havia mais de três anos, assim como muitos outros voluntários. Embora a permanência naquele lugar durante tantos dias não estivesse na minha programação, percebi uma grande oportunidade. Aproveitei o que roteiro turístico nenhum poderia me oferecer.

Comprei algumas roupas e produtos de higiene pessoal em uma lojinha na própria comunidade e permaneci na fundação por cinco dias. Foi assim que conheci todos os voluntários e seus projetos, fui a campo com os grupos de missões que saíam de jipe todas as manhãs. Um grupo de jovens arquitetos e engenheiros trabalhava em um mutirão para construir moradias, outros iam para as escolas, outros para o hospital, outros para os galpões de artesanato... Todos os voluntários trabalhavam intensamente o dia inteiro, tendo como recompensa "apenas" o bem-estar de pessoas que eles nem conheciam. Eles doavam o seu conhecimento, o seu talento, as suas habilidades ao próximo sem pedir ou exigir absolutamente nada em troca. À noite nós conversávamos, e numa dessas ocasiões me dei conta do que poderia fazer ali.

As pessoas mais maduras tinham clara a sua missão, o seu sentido de vida. Os mais jovens estavam em busca do seu próprio porquê. Em geral eram jovens que tinham tudo na vida, mas não eram felizes. Sentiam falta de alguma coisa e mergulhavam de corpo e alma naquela experiência para se encontrarem. Ali não importava o fato de eu ser a Leila Navarro ou qualquer outra coisa que meus paradigmas valorizassem.

Ofereci assistência aos voluntários que estavam ali dando o melhor de si aos necessitados. Cheguei sem bagagem e voltei cheia de experiências. O caminho se faz ao caminhar! As viradas de jogo são assim. Sem me poupar, à noite eu fazia palestras e sessões de rolfing, shiatsu e consciência corporal, assuntos que eu dominava antes de ser palestrante. Reuni meus talentos e me coloquei a serviço deles. Foi uma experiência maravilhosa!

Existem momentos mágicos em que criamos nossa realidade e nos vemos em harmonia com o todo. Para descobrir a nós mesmos, para despertar a nossa verdadeira identidade, é fundamental experienciar as coisas e aprender com elas. As experiências precisam ser vividas integralmente, e nisso está a oportunidade de virar o jogo e se sentir muito melhor.

Passados alguns dias, a Leila Navarro que se despediu daquelas pessoas doadoras de si na Fundação Vicente Ferrer havia conhecido indivíduos com ideais bem diferentes dos seus, descoberto novos valores e ampliado a sua visão sob diferentes perspectivas.

16

Uma mente startup para dar guinadas na vida

NO MUNDO EMPRESARIAL é cada vez mais comum ouvir o termo "startup". A definição dessa palavra representa, resumidamente, "empresas jovens, inovadoras e com alto potencial de crescimento". E por ser justamente assim é que vale um paralelo com o que estamos tratando. Para dar boas e bem-sucedidas viradas de jogo na vida, já não basta pensar fora da caixa. É imprescindível desenvolver uma "mente startup", seja você um adolescente de 20 ou um jovem maduro de 70 anos.

Como palestrante motivacional, sou frequentemente convidada por universidades para dar uma injeção de ânimo naqueles que estão se preparando para um mercado altamente exigente e inovador. Numa ocasião recente, deparei com alunos da Unicamp — Universidade de Campinas, no interior de São Paulo. Eu vibro com esses convites! Eles são um termômetro para a reinvenção da minha carreira e o impacto dos temas que abordo.

Quando cheguei à universidade e vi aquela moçada bonita aguardando a minha palestra, rejuvenesci! Mas a boa impressão logo deu lugar à indignação. Ao conversar com alguns grupos espalhados pelo *campus* antes do início do evento, detectei que a atmosfera comum entre eles era de certo nervosismo, irritação e depressão. Uau! Aqueles meninos e meninas em pleno vigor da juventude, com a vida inteira pela frente, em vez de se animarem com as perspectivas, tinham muito menos vivacidade e ânimo que os idosos que conheci em uma casa de repouso. Cadê as mentes startup que deveriam estar ali? Tive dificuldade para encontrá-las, e na minha busca perguntei a alguns universitários quais eram os seus sonhos.

— Não sei ao certo! O que eu preciso mesmo é terminar a faculdade e dar sorte para conseguir trabalhar na área — disse uma aluna do curso de arquitetura.

— Sinceramente, eu nem consigo pensar direito nisso. Estou fazendo um curso que não é bem o que eu gostaria, mas nem posso pensar na possibilidade de falar sobre isso com os meus pais — falou um jovem da engenharia química.

— Olha, eu estou muito mal! Concorri a uma vaga para o estágio da minha vida e estou péssimo porque não consegui — confessou o carinha da engenharia de alimentos.

A Unicamp tem aproximadamente 34 mil alunos, matriculados em 66 cursos de graduação e 153 programas de pós-graduação.[4] Com tamanho universo de possibilidades, essas são as perspectivas desses três jovens? Eles estão depressivos porque não sabem se a sorte vai ajudá-los a conquistar um emprego? Ainda existem jovens que fazem uma graduação com a qual

4. Fonte: dados obtidos no site da instituição em novembro de 2017.

não se identificam só para não "desperdiçar" o que cursaram e não confrontar os pais? O outro está deprê porque não conseguiu o estágio da vida? Em que mundo eles estão vivendo?

A incerteza sobre o futuro a longo prazo é característica dos jovens em tempos de crise. Fazer planos tem se tornado algo fora do alcance da grande maioria. Mas é justamente na crise que surgem as grandes oportunidades para quem está aberto à vida. Pessoas com mentalidade do século passado até avançam em algumas áreas, mas as chances de serem infelizes são muito grandes.

A expectativa de vida aumentou. O mundo científico afirma que grande parte da humanidade vai viver saudável, física e intelectualmente, até os 120 anos. Estou me preparando para ser uma dessas pessoas, e continuo fazendo estágio até hoje. Qual é a perspectiva de ter o "estágio da vida" aos 20 se eles vão viver até os 120? A própria vida é um grande estágio! É possível transformar o meio em que vivemos em um celeiro de conhecimento e oportunidades empreendedoras: basta ampliar a visão e fazer voos panorâmicos.

Passar por uma universidade ainda é importante, só que não é mais garantia de uma carreira promissora. As oportunidades estão em toda parte, e o que se requer hoje são "mentes startup" — indivíduos que são protagonistas dos próprios sonhos e têm consciência de que também devem ser provedores, incentivadores e patrocinadores de suas iniciativas e de seus sonhos. Essas pessoas têm a capacidade de mudar a rota rapidamente quando necessário.

Tem sido cada vez mais comum a aplicação do design thinking no dia a dia dos profissionais e até para questões pessoais. Essa é uma ferramenta para empreendedores que buscam revolucionar a maneira de encontrar soluções inovadoras e criativas focadas em necessidades reais. Esse fato mostra que não há tempo para permanecer submerso em devaneios, medos, ideias arcaicas, modelos ultrapassados de gestão de vida, de carreira e de negócios. Quem não avança na velocidade dos acontecimentos corre o risco de nadar, nadar, nadar e morrer na praia.

O Buscapé, um dos maiores cases de sucesso de startups no Brasil, surgiu das mentes antenadas, inovadoras e curiosas de três estudantes de engenharia da computação e um de administração. Eles transformaram uma dificuldade em negócio extraordinariamente lucrativo que hoje vale milhões de dólares e está espalhado em diversos países do mundo.

Quantas e quantas vezes você peregrinou por vários sites pesquisando preços e comparando produtos? Hoje em dia isso é bem fácil, não? Talvez você não saiba ou não se lembre, mas, há vinte anos, fazer pesquisas sobre um produto demandava gastar a sola do sapato para encontrar a melhor oferta. Com as lojas virtuais, a peregrinação apenas mudou de ambiente. Foi nesse cenário que um estudante, tentando comprar uma impressora pela internet, se incomodou por não conseguir localizar rapidamente lojas especializadas, preços e outras informações.

Em uma conversa com três amigos, veio o desejo de buscar uma solução. O projeto começou a ser desenvolvido em 1998, com apenas uma boa ideia na cabeça, o investimento em três computadores, um capital pequeno, muita coragem e ousadia para vencer os obstáculos. Com esses ingredientes, os quatro amigos revolucionaram o mercado e se tornaram um exemplo para que outros brasileiros se arriscassem no empreendedorismo.

O Buscapé é um dos maiores casos de sucesso entre as startups brasileiras, e, por causa do seu histórico, faz a sua parte: investe constantemente em outras startups que tenham bons projetos! Isso mostra que existe espaço para boas ideias, além de pessoas e organizações interessadas em fazer investimentos.

Tudo bem se você não tem o perfil de idealizador de projetos. Mesmo assim, há espaço para aqueles que desejam dar boas guinadas na vida e virar o jogo para realizar seus sonhos. Uma coisa é certa: ter uma mente startup, ou seja, ser antenado, curioso, inovador e ousado, reúne atributos indispensáveis para fluir nesse mundo de incertezas. Paixão, disposição e dedicação também fazem parte do pacote. Seja qual for o seu sonho, encare-o como um importante empreendimento. Empreender é nunca estar acomodado.

Vamos a um levantamento informal, mas revelador, que servirá como um termômetro para o seu posicionamento atual diante do cenário de inovações e incertezas em que vivemos. É simples. Basta responder para você mesmo as seguintes questões:

Há quanto tempo você está na mesma empresa ou atuando no mesmo negócio ou projeto, encarando a mesma rotina, sentindo-se estagnado e sem visão?

Nos últimos anos você tem aproveitado todas as oportunidades de desenvolvimento profissional que surgiram?

Você tem explorado todo o seu potencial na atividade que exerce hoje?

Sente-se valorizado e feliz?

Você tem sido assediado no mercado em que atua?

As perguntas são sempre importantes para o crescimento, e as que você acabou de ler podem ser decisivas para grandes mudanças na sua carreira, seja para melhorar o desempenho onde está ou sair em busca de novas oportunidades. Seja coerente e faça essa autoavaliação.

A partir de uma reflexão realista, você pode chegar à conclusão de que mudar os rumos da sua área de atuação é o melhor a fazer, mas também pode constatar que ainda tem muita lenha para queimar na atividade que desenvolve! De qualquer forma, as mudanças são necessárias e sempre haverá algum risco, mas também a chance de enxergar imensas oportunidades. Uma virada de jogo bem-sucedida pode ter início com pequenos ajustes na sua rota. Negócios extraordinários surgem de uma ideia colocada em prática.

Há quem acredite em coisas do tipo: "Se eu não chegar a diretor até os 40 anos, não chego mais." É compreensível que, na corrida pelos postos de comando das empresas, as pessoas se sintam pressionadas a ascender rapidamente, mas isso não quer dizer que possam queimar etapas sem o amadurecimento necessário em cada uma delas.

Na ânsia de fazer as coisas acontecerem, muitos profissionais deixam de aperfeiçoar suas habilidades, de assumir pequenos, mas promissores desafios ou ampliar espaço para o próprio crescimento. Consideram mais apropriado se aventurar em outros projetos em vez de analisar sua real condição e se submeter aos investimentos necessários no lugar onde estão.

Digamos que o seu objetivo seja chegar à alta direção de uma empresa. Se o seu caso é esse, esqueça o tradicional modelo de ascensão linear, aquele em que o profissional faz carreira em determinada área — comercial, financeira, técnica, de recursos humanos ou de marketing, por exemplo. O executivo moderno precisa ter visão global do negócio, o que só se adquire com a vivência em vários segmentos da empresa.

O diploma de um curso de graduação não obriga um profissional a seguir para sempre a trajetória natural de sua profissão. Nada impede que um engenheiro trabalhe na área comercial e depois migre para a de marketing ou que um advogado passe um tempo na área administrativa e depois experimente a de finanças ou a de gestão de pessoas. No mundo corporativo moderno, é possível desenhar uma carreira com esse trânsito, desde que você se capacite para isso.

Talvez o preparo mais lógico seja fazer uma pós-graduação ou curso de especialização na área desejada. Mas existe também a possibilidade de se aproximar dela aos poucos, participando de projetos integrados com os outros departamentos.

Caso você trabalhe no marketing, seria interessante acompanhar o planejamento que o pessoal da produção realiza para implantar um processo de fabricação, conhecer os estudos que a equipe de meio ambiente desenvolve a fim de tratar adequadamente os resíduos de um processo industrial, e ainda entender o impacto do lançamento do novo produto nas finanças da empresa, por exemplo.

A tendência das organizações é funcionar de modo cada vez mais integrado. As andanças de um profissional pelas diferentes áreas de uma empresa mostram que ele dá valor ao aprendizado e à tão desejada visão global — uma habilidade fundamental não só para altos executivos! Isso envolve todos os níveis de colaboradores nestes tempos em que a gestão participativa ganha corpo. Mas é importante ter o cuidado de planejar bem a trajetória e permanecer em cada área o tempo suficiente para compreendê-la. Quem não esquenta a cadeira não aprende, só faz turismo, e essa é uma questão delicada no currículo de um profissional.

O mesmo cabe para o profissional autônomo, o profissional liberal e os empreendedores, que devem manter a visão ampliada para novas possibilidades. Existe a necessidade iminente de expandir e globalizar os conhecimentos.

Mudanças assustam, e os riscos sempre vão existir. Por outro lado, as chances de galgar novos níveis na carreira são imensas para aqueles que assumem seus talentos, habilidades e arregaçam as mangas para desbravar o caminho!

A vida é um conjunto de sonhos realizados. É muito bom se descobrir nas coisas, e melhor ainda quando descobrimos que existe em nós uma inteligência que não foi adquirida em lugar nenhum. Ela faz parte de cada um de nós e nos dá condições de exercitar o poder de superar as adversidades e virar o jogo a nosso favor.

Ter uma atitude estratégica faz total diferença. Saber e não fazer é a mesma coisa que não saber. Uma ideia interessante deve ser colocada em prática. Se você tem uma sugestão diferente para um projeto, compartilhe-a com quem julgar apto a ouvi-la. Surgiu a oportunidade de experienciar novas vivências e formas de adquirir conhecimento? Permita-se! Se o resultado da sua dedicação não sair como você queria, ainda assim haverá ganhos: você terá superado seus medos e anseios. Faça o que pode, onde está e com os recursos que tem. As suas realizações começam exatamente no mesmo ponto em que você arreda o pé da zona de conforto.

17

Prepare o seu mergulho no oceano das possibilidades

SEGUNDO O FILÓSOFO HORÁCIO, "a adversidade desperta em nós capacidades que, em circunstâncias favoráveis, teriam ficado adormecidas". Segurança é uma palavra fora do contexto atual. Mais que em qualquer outro tempo, temos que aprender, como malabaristas, a equilibrar diversos pratos ao mesmo tempo e lidar com as incertezas.

O movimento de mudança é irreversível, e cada vez mais é necessário desenvolver competências e habilidades para encarar as adversidades. Todos os cenários, seja na política, na economia, no mundo profissional, na sociedade e na família, vêm sofrendo transformações. Reclamar não vai mudar o rumo das coisas. O negócio é agir de modo coerente, assertivo e consciente.

Arriscar faz parte do repertório do mundo atual. Os mais notáveis nomes que fizeram história não são os que nunca se equivocaram, tampouco os que sempre ganharam, mas sim aqueles que foram capazes de enfrentar as adversidades para seguir adiante, avançando em seus propósitos independentemente das circunstâncias. Quando enfrentamos e superamos os medos, a autoestima e a autoconfiança aumentam e as competências e habilidades são fortalecidas.

Na minha peregrinação rumo ao Taktshang Goemba, o Ninho do Tigre, no Butão, entendi claramente que a capacidade de controlar as emoções e os desejos para atingir um ideal depende também do autocontrole. Em determinado ponto da caminhada, minhas emoções estavam à flor da pele, e eu tinha consciência de que o descontrole emocional causaria um desgaste enorme, além de descarregar minhas energias corporais e dar uma rasteira na autoestima. O autocontrole era indispensável para o meu equilíbrio e bem-estar.

Em momentos de decisão, o que importa não é o controle da situação, o domínio da opinião dos outros, dos comentários e sugestões alheios. O autocontrole é um fator decisivo. Quando se está cheio de expectativas, estressado, cansado física e emocionalmente, o estado de alerta sofre uma baixa e nós perdemos o foco. É como o efeito da dor sobre as pessoas. Quem consegue se concentrar quando sente dor?

O autocontrole é a gestão das emoções para controlar as situações difíceis diante de pressões, cobranças e hostilidade. Mergulhar no oceano das possibilidades requer esse componente da inteligência emocional, que impede a pessoa de ser "refém" dos próprios sentimentos. Assim como naquela experiência, em muitos outros momentos na vida precisei dizer não aos impulsos emocionais momentâneos para manter o foco, sem me abalar com os percalços do caminho.

Encarar a adversidade é um desafio que nos fortalece e aumenta nossas chances de conquista. Você pode modelar um estilo de vida que vá além dos padrões e conceitos, e descobrir coisas que nem imaginava. Esse negócio de errar é humano está em uma dimensão arcaica: na vida você acerta ou aprende! Por isso, sempre vale a pena se desafiar.

Durante um mergulho, a experiência que se permite viver no fundo do mar pode ser muito mais valiosa que a profundidade atingida. Considere que o resultado obtido em cada uma das suas iniciativas pode ser menos expressivo que o aprendizado, a experiência, a oportunidade que você deu a si mesmo.

A vida é uma grande viagem. Pessoas sábias viajam literal e figurativamente. Eu decidi reunir sabedoria das duas formas! Considero o planeta Terra o mais espetacular de todo o sistema solar. O que existe aqui não foi descoberto em nenhum outro lugar. Como faço parte deste universo e estou viva, decidi explorar dentro de mim e no mundo, com muita intensidade, as minhas sensações, percepções e inteligências!

Conheço diversas partes do mundo. Estive em lugares surpreendentes, com culturas, hábitos, crenças, valores e povos bem diferentes. Seja no Japão, na Índia, na Noruega, no Butão, na França, no Nepal, na Tailândia, na Espanha ou em qualquer outro lugar, vivo experiências sem críticas, comparações ou julgamentos. Já meditei em mosteiros e templos, voei em balão de ar quente, dei palestras em navios, circulei sem motorista em carros inteligentes, mergulhei em mar aberto, estive em arranha-céus famosos, caminhei por dunas no deserto e também criei abelhas, cuidei de cavalos, aprendi e ensinei a terapia do riso, plantei árvores, tive filhos e escrevi livros com a mesma intensidade.

Foi pensando nisso que certo dia decidi fazer uma lista com os cinquenta sonhos, desejos e vontades que ainda quero realizar. Não faz muito tempo que isso aconteceu, e ao redigir a minha lista me lembrei da vontade de conhecer a aurora boreal, um fenômeno natural que ocorre nas regiões polares do norte do planeta.

Eu já tinha pesquisado a respeito e queria ver de perto esse sublime espetáculo de luzes e cores que se apresenta de diversas formas — sob a aparência de pontos de luz, como faixas horizontais ou pequenos círculos luminosos. Nos filmes e documentários eu observava que em alguns momentos essas luzes se exprimem em uma profusão de cores, simultaneamente. Em outros elas compõem semicircunferências que se metamorfoseiam o tempo todo. Um verdadeiro espetáculo que eu desejava ver ao vivo.

Dos cinquenta itens que relacionei (muitos ainda secretos, mas que podem ser transformados em conteúdo de livro no futuro), conhecer a aurora boreal foi o primeiro. E me permiti sonhar com isso. Toda realização começa com um pensamento, um sonho! Quando não existe sonho, as oportunidades passam despercebidas.

Pouco tempo depois de ter elaborado a tal lista, fui contratada para uma turnê de oito palestras na Espanha. Eu ficaria na Europa por dezoito dias, com um intervalo que poderia ser aproveitado da forma que eu quisesse.

Por coincidência, nesse mesmo período uma amiga que já morava na Finlândia surgiu com um convite para eu participar de um momento muito especial. Ela iria realizar o sonho de casar de branco com um finlandês, o grande amor da sua vida. Aceitei o convite e percebi que estava mais perto da realização do meu próprio sonho.

Semanas depois, lá estava eu no aeroporto de Rovaniemi. Acompanhei minha amiga nesse momento deslumbrante na vida dela e fui percebendo possibilidades maravilhosas na minha. Eles abriram mão da lua de mel. O casal estava reestruturando a vida, o marido viajando muito a trabalho e no dia seguinte à cerimônia ele já embarcaria em uma missão de negócios. A noiva estaria livre para passar alguns dias comigo.

Durante uma conversa, eu comentei que queria conhecer a aurora boreal, e prontamente ela decidiu me acompanhar. Meu destino seria justamente a região onde moram os pais do seu marido.

Rovaniemi é um lugar mágico. Capital e centro comercial da Lapônia, localizada na Finlândia, próximo ao círculo polar ártico, é um dos lugares ideais para ver as famosas auroras boreais. Eu estava pronta para realizar esse sonho. E, antes de mergulhar nessa aventura, vivi experiências maravilhosas e inusitadas.

Na casa dos sogros da minha amiga, fomos muito bem acolhidas. Eles falam apenas finlandês, minha amiga, português e inglês fluente, e eu português e espanhol. No centro daquela sala aconchegante, com muito chá e brioches, nós nos divertimos muito, e o idioma não foi nenhum impedimento. Conversamos com o apoio de um tradutor eletrônico no iPad. Nós duas falávamos em português, o tradutor convertia para o finlandês, e vice-versa. Aquele aparelho foi como uma quinta pessoa participando do nosso bate-papo.

Durante oito meses do ano há neve para todos os lados em Rovaniemi. Tudo fica branco: as ruas, as casas, os carros, as árvores. Deus deve ter permitido que a aurora boreal surgisse naquele lugar justamente para dar um colorido ao branco total.

Enquanto eu aguardava o dia de realizar o desejo que havia me impulsionado a chegar até ali, aproveitei para conhecer o lugar. Visitei o Arktikum, o Museu do Ártico,[5] um espaço que reúne tudo sobre a cultura, história e vida da região, e conheci a Saint Nicholaus Village,[6] onde fica a casa do Papai Noel, que eu nem sabia que existia. Lá, onde nasceu a história do bom velhinho, o Natal acontece o ano inteiro.

Quando vi o Papai Noel corri para o colo dele, abracei, beijei e pedi que falasse "hou, hou, hou". Surpreso e com um sorriso estampado no rosto, ele respondeu que isso era coisa da Coca-Cola. Fiquei curiosa! Então o que ele falava para as crianças? "Eu pergunto se elas se comportaram bem", respondeu. Fiquei ainda mais fascinada. Se não fosse o meu sonho maior, até ali já teria valido a pena. O caminho se faz ao caminhar, lembra?

Fiquei hospedada na cidade e contratei um serviço chamado Caça à Aurora Boreal, promovido por uma empresa de turismo que leva grupos para o meio da floresta, onde a possibilidade de ver o fenômeno é maior. Na época embarquei na aventura com dez por cento de chance de ver o fenômeno. Enfrentei uma temperatura de 36 graus abaixo de zero, caminhei horas montanha acima, com neve até os joelhos. Estava vestida com um *overall*, uma espécie de macacão bem pesado, apropriado para manter um ser humano aquecido e seco naquele lugar.

---

5. Inaugurado em 1992, no aniversário de 75 anos de independência do país, o Arktikum é uma das principais atrações turísticas da Finlândia.

6. A Saint Nicholaus Village fica na Lapônia, na Finlândia, e reúne centenas de milhares de visitantes de todo o mundo para conhecer o Papai Noel em qualquer época do ano.

Apesar do cenário congelante, eu curtia cada detalhe como uma criança. Me chamavam de brasileira louca! No alto da montanha, ficamos horas e horas esperando o fenômeno acontecer. Os guias improvisaram uma barraca de couro, e nós ficamos ao redor de uma fogueira assando espetinhos e ouvindo histórias sobre a aurora boreal. A expectativa de ver o fenômeno aumentava na mesma proporção em que as horas iam avançando. Eu torcia para que um vento forte soprasse naquela região e as cores explodissem no céu. Meus olhos não desgrudavam do alto. A simples sensação de que algo havia se movido naquela imensidão escura já me deixava em prontidão.

Eu ficava tentando adivinhar quais cores surgiriam naquela imensidão escura. Como seria a minha reação ao ver aquilo, que já era fantástico nos documentários? Era incrível estar naquele lugar. Diversos sentimentos se misturavam à euforia de realizar um sonho. Às vezes eu tinha a sensação de que estava realmente sonhando, mas a agitação ao meu redor me trazia de volta à realidade, uma incrível realidade.

Esperei... Esperei... Esperei... Esperei muito, e a aurora boreal não aconteceu. Isso mesmo. O fenômeno tão esperado simplesmente não surgiu.

Decepção? Arrependimento? Dissabor? Prejuízo? Nada disso!

Quando os guias avisaram que estava na hora de voltar à base, parei por alguns segundos, olhei tudo ao redor e logo pensei no que sempre digo nas palestras: "Se as coisas não acontecem do jeito que eu quero, é porque tudo vai ser melhor do que eu poderia imaginar." No retorno, o ânimo do grupo tinha mudado bastante, mas eu me sentia inteira, viva, intensa e grata!

A aurora boreal não aconteceu pelos motivos que só o universo sabe. Mas eu fiz minha parte e cumpri o que me cabia para realizar o sonho. Ao fazer isso, vivenciei momentos e sensações que despertaram dentro de mim ainda mais força e vigor.

Na vida é preciso lidar com fatores ponderáveis e imponderáveis, e o melhor que se tem a fazer é aproveitar as oportunidades que surgem pelo caminho. As intempéries, as crises, as calamidades, as oportunidades, as mudanças de cenário atingem a todos.

Existem pessoas que buscam consolidar as bases do emocional, intelectual, financeiro e de relacionamentos com o autoconhecimento e a autoconsciência para fluir mesmo em períodos de turbulências. Outras esperam que o destino se encarregue de cumprir seus propósitos. Qual dos dois posicionamentos você tem usufruído da melhor forma diante do que a vida tem oferecido?

É interessante associar a vida com um jogo de videogame. Tudo são fases. Algumas delas são maravilhosas, outras nem tanto. Existem as fases que devem ser encaradas como oportunidades para aperfeiçoarmos nosso posicionamento, nossas estratégias, nossa forma de enxergar o mundo. Ganhar ou perder faz parte!

Aprendi algo muito forte e interessante com essa experiência na Finlândia. Quando você passa por todas as fases e ganha, surge na tela um "game over", que significa literalmente "fim de jogo". Enquanto você se mantém no jogo, seja com limitações ou com o alcance mínimo na pontuação, mesmo que pareça estar perdendo, você se mantém no jogo. E na vida é muito mais instigante se manter no jogo, presente, intenso, atento, do que "simplesmente" ganhar e sair de cena. Quer saber mais? Quem está fora não tem como virar o jogo!

Eu ainda estou no jogo da aurora boreal!

Siga no embalo do próprio repertório

ANTES DA AVENTURA NO BUTÃO, eu pouco havia refletido sobre a transitoriedade da vida — nascemos e morremos sozinhos, mas no caminho temos muitos encontros especiais. Alguns deles acrescentam, outros nos fazem perceber o quanto é necessário desaprender para aprender. Existem encontros que nos inspiram o amor, outros despertam raiva. Há momentos em que o inesperado nos abala, nos constrange, nos tira da zona de conforto, e outras situações nos confortam, nos revelam, nos surpreendem. A vida é a soma de todas as experiências.

Enquanto eu subia aquela montanha em solo butanês, lutava contra meus conflitos internos, a falta de resistência física e o pensamento que teimava em dar foco à ausência de recursos materiais. Aquele foi um momento de virar o jogo. Eu estava no caminho e havia apenas duas alternativas: continuar e vencer meus limites ou desistir e carregar o fantasma da dúvida — até onde eu conseguiria se tentasse mais um pouco? Como seria se eu avançasse? No decorrer da vida surgem apenas essas duas possibilidades, e a resposta faz total diferença. Segundo William Shakespeare, "as nossas dúvidas são traidoras e nos fazem perder o que, com frequência, poderíamos ganhar, por simples medo de arriscar".

Cada pessoa que cruzei naquela caminhada tinha sua própria história, seus sonhos e um motivo especial pelo qual havia acordado naquele dia. E isso é muito louco, porque não existe certo ou errado: cada um colherá os frutos das próprias decisões. Virar o jogo ou permanecer na zona de conforto é questão de escolha. A responsabilidade é individual e intransferível. Parafraseando John F. Kennedy, não pergunte o que a vida pode fazer por você. Pergunte a si mesmo o que vai fazer da sua vida.[7] Isso muda perspectivas. A grande diferença não é o que sabemos, mas sim o que fazemos com o que sabemos.

Quando completei 60 anos de idade, me dei conta de que vou morrer um dia. Até então eu não pensava em nada disso e seguia a vida. Afinal, com tantos projetos, tantas coisas para experimentar e pessoas para conhecer, ver e rever, nem pensava nessa questão. O ser humano tem prazo de validade, e o momento de baixar as cortinas no palco da vida ninguém sabe quando é. Isso é maravilhoso, porque sob essa perspectiva tenho consciência do hoje, do agora, e vivo intensamente cada momento, sempre atenta aos sinais.

Embarquei numa viagem de reflexões e cheguei a uma conclusão louca: já que a vida é passageira, viverei intensamente o aqui e o agora, mas já vou programando o que farei em outra dimensão ou numa próxima experiência na Terra — vou ser uma

---

7. A frase original de John F. Kennedy foi pronunciada durante o seu discurso de posse como presidente dos Estados Unidos, há mais de cinquenta anos: *"Não pergunte o que o seu país pode fazer por você. Pergunte o que você pode fazer pelo seu país."*

cantora popstar, cantar as minhas próprias músicas com mensagens transformadoras, e isso vai unir milhões de pessoas em volta do mundo! Eu literalmente viajo na maionese! Sonho é sonho, e cada um deve ter o seu. Agora, uma advertência! Cuidado com o que você sonha. Seus desejos podem se tornar realidade... E os sinais para que isso aconteça estão por todos os lados!

Em determinado período de trabalho intenso, precisei contratar uma estagiária. Juntou-se à equipe uma garota com menos de 20 anos, estudante de jornalismo. Numa reunião, nosso primeiro contato, ela interrompeu a conversa e comentou:

— Nossa, dona Leila! Como a senhora fala depressa!

Aquela interferência criou uma atmosfera incômoda no ambiente. Ela nem sabia direito quem eu era, estava chegando e já se achava no direito de fazer esse tipo de observação! Fiquei incomodada.

— Falo depressa, mas ganho bem! — respondi, para encerrar o assunto.

Mas ela não se intimidou:

— A senhora deveria se consultar com a minha fonoaudióloga. Ela é muito boa e vai ajudá-la a falar mais devagar!

O "atrevimento" da garota me instigou. Aquilo só podia ser um sinal. Sem transmitir o que se passava nos meus pensamentos, tomei aquilo como um desafio e marquei uma consulta com a tal especialista.

Quando cheguei ao consultório, fui surpreendida com o método de trabalho da fonoaudióloga. Ela ensina a respirar e a trabalhar a dicção com música. No decorrer das sessões, descobri que, além de conseguir falar mais pausadamente, sou afinada e posso cantar. Estou fazendo aulas de canto até hoje!

As descobertas não pararam por aí! Entusiasmada, iniciei ainda nesta vida os ensaios para ser uma popstar. Reservei as quintas-feiras para as aulas de "fonoaudiocanto", e já tinha em mente que logo procuraria um pub em São Paulo para cantar, mesmo que tivesse que pagar para isso. Esse seria o meu laboratório para a carreira meteórica de estrela pop em outra dimensão.

Abro aqui um parêntese: o sonho é meu e eu posso sonhar com o que quiser. Digo isso para que você, Poderoso Leitor, entenda que só pode usufruir dos seus sonhos e projetos se tiver consciência deles e assumi-los. Tenho a ousadia de contar uma experiência que pode parecer louca para você, mas é importante para mim. Quantas vezes você deixou de sonhar ou de admitir que ficaria feliz com a realização de determinado sonho pura e simplesmente pelo receio de ser criticado? Pare para pensar!

Sonhar é precioso. Enquanto se tem um sonho, existe esperança. Se o que você vive hoje não o deixa feliz, ou, ainda que o deixe feliz, se você gostaria de experimentar coisas novas, está na hora de observar os sinais! Para virar o jogo, é preciso ter consciência do que se quer. Você só pode usufruir daquilo que reconhece. Talvez esteja desperdiçando energia com tantas reclamações e não enxergue a abundância de possibilidades que existem ao seu redor.

Tudo o que um sonho precisa para ser concretizado é alguém que acredite que é possível. Aquela pessoa que o incomoda pode ser o sinal para a abertura de novos horizontes, mas seus pensamentos estão emperrados em tanto negativismo que o cérebro trava e a visão fica limitada. Está insatisfeito? Questione-se e tenha coragem de admitir que o que precisa para transformar a sua realidade depende única e exclusivamente de você! Fique atento aos sinais! Fechei o parêntese.

Em uma tarde aparentemente igual a tantas outras, eu estava numa clínica em São Paulo tomando soro, como parte de um tratamento ortomolecular. Eu vislumbro um futuro com excelentes perspectivas, e outras pessoas na casa dos 60 que querem viver saudáveis até mais de cem, como eu, estavam reunidas numa sala respondendo à mesma prescrição.

Nessas ocasiões não se trocam cartões, mas experiências. Naquele dia, toda entusiasmada, falei sobre as minhas descobertas com a fonoaudióloga e a intenção de, se necessário, pagar para cantar. Falo dos meus sonhos para me comprometer com o universo e comigo mesma.

Em determinado momento da minha empolgante narrativa, fui interrompida. O que escutei a seguir abalou as minhas estruturas.

— Leila, você não precisa pagar para cantar — disse uma loira toda poderosa que estava tomando soro em uma poltrona ao meu lado. — Quero que você vá cantar nas minhas casas de shows. E pode começar já!

— Quê? Mas quem é você? — perguntei, com um misto de surpresa e curiosidade.

— Sou a Lilian Gonçalves — respondeu ela, em alto e bom som.

Você sabe quem é Lilian Gonçalves? Ela é nada mais, nada menos que a rainha da noite paulistana, empresária e dona de uma rede de casas de shows. O sonho de ser cantora chegou antes que eu mesma pudesse conceber o que ele significava realmente. Surpresa com a proposta inesperada, impelida pelo turbilhão de emoções que brotavam dentro de mim, respondi:

— Lilian Gonçalves!!! — O meu rosto denunciou a surpresa. — Eu ainda não criei o meu repertório. Tenho que preparar!

— As portas estão abertas para você, Leila, crie o seu repertório e me procure. — Quase entrei em transe quando ouvi a sua resposta.

Ao sair daquele lugar, eu já me sentia uma cantora. Afinal, já estava treinando a voz e agora precisava elaborar um repertório. E quem tem repertório musical é cantor. Iniciava ali a minha carreira intergaláctica.

No final daquele ano eu completaria 63 primaveras e percebia uma conspiração do universo em favor do meu sonho. Na teoria dos setênios,[8] a cada sete anos de vida tem início um novo ciclo. Atenta a esses sinais, decidi fazer um show para comemorar o meu aniversário.

Sonhar não tem preço. Você não paga nada nem depende de ninguém para que isso aconteça. Mas a ausência de sonhos pode gerar grandes prejuízos e perdas. Certa vez, num voo para o sul do Brasil, sentou-se ao meu lado um jovem que havia sido promovido na empresa em que trabalhava e estava de mudança de São Paulo para Florianópolis. Aquilo era algo impensado para ele, que se sentia agraciado pela sorte. Diante disso, eu perguntei ao meu companheiro de viagem quais eram os seus sonhos — está aí uma coisa que eu sempre pergunto para as pessoas.

Quais são os seus sonhos?

Como se a pergunta não fizesse o menor sentido, ele pareceu ter ido buscar a resposta no baú das suas memórias. Demorou para responder, e quando começou a falar parecia resistente e apreensivo.

8. Dentro desse pensamento filosófico encontra-se uma forma cíclica de ver a vida chamada "teoria dos setênios". Tal teoria foi elaborada a partir da observação dos ritmos da natureza, da natureza no sentido da vida, na qual todos nós estamos imersos. Ela divide a vida em fases de sete anos.

— Olha, estou pensando aqui... Eu não sonho ser milionário, eu não sonho ter uma mansão, eu não sonho ter um iate, uma lancha....

Antes que ele continuasse a recitar a lista das coisas com as quais não sonhava, eu o interrompi.

— Então está na hora de você morrer! Eu não perguntei quais NÃO são os seus sonhos. Quero saber quais são as suas intenções e os seus propósitos para a vida!

Sonhou pequeno, realizou pequeno. Sonhou grande, realizou grande! Sonhos grandes se realizam a todo instante para quem realmente sonha. Tem gente que pensa em dar a volta ao mundo para conhecer novas culturas, novos territórios, novos idiomas, mas, com medo de realizar, se contenta em passar alguns dias na Praia Grande, no litoral de São Paulo, que aliás é um lugar lindo e vale a pena conhecer, mas os limites de territórios quem determina somos nós. A imaginação é mais importante que o conhecimento.

As experiências que você viveu até aqui compõem um repertório de vida. O caminho se faz ao caminhar! Não é preciso saber tudo, ter certeza de tudo e planejar cada passo nos mínimos detalhes para iniciar uma virada de jogo bem-sucedida. A fórmula pronta não existe!

A vida é um mistério que deve ser desvendado dia a dia. É na caminhada que se reinventa, experimenta, arrisca, avança. A vida é dinâmica e está em constante movimento, exigindo de nós escolhas e decisões.

Quando decidi fazer um show para comemorar o meu aniversário, levei mais a sério as sessões de "fonoaudiocanto" e a pensar nas possibilidades para concretizar o meu sonho.

Entre idas e vindas, foram surgindo sinais! Os recursos e as pessoas de que eu precisava para alavancar meu projeto já estavam ao meu lado e até então eu nem sabia.

Durante as aulas, percebi que determinadas canções me faziam viajar no tempo. Elas falavam de amores vividos, sofridos, esquecidos — estava aí o meu repertório. Fui canalizando as ideias até que chegou uma oportunidade de ouro. Uma empresa queria o que eu tinha para oferecer, e podia me dar o que eu precisava. Atenta aos sinais, fechei uma inusitada parceria com um buffet de alto nível.

Em dezembro de 2015 aconteceu o Leila Canta & Conta,[9] um musical em que cantei e contei experiências de amores vividos ao ritmo de músicas inspiradoras. Fui a atração principal da noite — uma popstar romântica. Na estreia, um show para duzentos convidados regado a um jantar megaespecial realizado no Espaço 167, em Moema, São Paulo.

Naquela noite eu não só realizei o meu sonho como também instiguei tantas outras pessoas a acreditarem em si e a defender com mente, alma e espírito a realização das suas loucuras mais íntimas. Lilian Gonçalves foi convidada, mas sua agenda já estava comprometida. E eu ainda não a procurei para marcar um show em uma das suas casas noturnas... Creio que as portas continuam abertas e eu vou me preparar para isso! Esse dia vai chegar.

Naquela noite, quando cantei a última música, estava fascinada. O sonho tinha se realizado. As luzes, os aplausos e a energia dos convidados selaram a realização de uma grande aventura. Vivi intensamente cada momento durante o show, e queria prolongar aquele êxtase, falar sobre a experiência, sobre minhas descobertas etc.

9. No Canal Leila Navarro, no YouTube, tem a cobertura do evento e depoimentos de diversos convidados. Basta fazer a busca por "Leila Canta & Conta".

Passada a euforia coletiva, ninguém comentou mais nada. Fiquei inconformada. Durante mais de seis meses eu havia dedicado tempo aos ensaios, muita energia e um turbilhão de emoções para que tudo aquilo se realizasse, e ninguém parecia interessado em falar a respeito! Não me contive! Cheguei para um amigo e lancei a pergunta:

— Você gostou do show?

Em vez de detalhar suas considerações, pelo menos era o que eu esperava, ele respondeu com outra pergunta:

— Você ficou feliz, Leila?

— Sim, fiquei muito feliz!

— Leila, é isso que importa!

A resposta foi curta, objetiva e conclusiva. Não havia como esticar o assunto. Sorri e fui circular pelo ambiente. Frente a frente com outro amigo, fiz a mesma pergunta.

— Você gostou do show?

— O que eu admiro em você, Leila, é a coragem! — foi a resposta.

Aqueles dois amigos talvez nem imaginem, mas fizeram vir à tona um importante ensinamento de Albert Einstein: "O que você pensa de mim é da sua conta e não da minha."

Para virar o jogo e se tornar uma pessoa mais feliz e realizada, o primeiro passo é se respeitar, com tudo o que você é e realizou — esse é o seu repertório. Ainda na caminhada, vai perceber que o resultado tem menos relevância que as experiências vividas. Isso aponta para a importância de escolher ser feliz antes, durante e depois das conquistas, sem se importar com o tamanho, a aparência ou o valor que elas tenham para os outros. Se são importantes para você, então valem a pena.

19

O poder da ressignificação: atiro no que vi, acerto no que não vi

FINALMENTE CHEGUEI ao Ninho do Tigre! Foram cerca de duas horas, milhares de passos, muitos encontros e desencontros mentais, um turbilhão de emoções afloradas, mas eu estava lá. Faltavam apenas alguns passos para concretizar o meu tão sonhado, desejado e sacrificado objetivo.

Todo o peso e cansaço que tentavam me dominar sumiram num passe de mágica. Eu estava prestes a atingir o meu alvo. Consegui chegar onde precisava! Eu posso, eu consigo, eu cheguei... Só que uma surpresa ainda maior estava preparada para mim. Quando coloquei os pés no início da última pequena trilha para ultrapassar as portas do templo... Surpresa!

O Taktshang Goemba, o Ninho do Tigre — o mais alto monumento sagrado da fé budista — havia acabado de fechar suas portas! O horário de visitação havia terminado. Ninguém mais poderia entrar para conhecer o interior do templo. Nem mesmo eu!

Como assim? Como assim fechou? Não podia ser! Uma avalanche de pensamentos passou pela minha cabeça. Investi tempo, dinheiro, energia... senti dor, alegria, tristeza... tinha me sacrificado para chegar até ali e agora o templo estava fechado?!

Quando o esgotamento total estava me dominando, surgiu um insight poderoso que disparou com um gatilho mental e me fez voltar à realidade. Ter consciência dessa verdade tem transformado a minha vida e a de todas as pessoas que passam a ter mais consciência de cada um dos seus passos.

A felicidade está no caminho e não na chegada!
A vida é vivida e deve ser intensamente aproveitada enquanto se está em busca de um objetivo, durante a sua caminhada, nas idas e vindas em qualquer situação.

Entrar no Ninho do Tigre era extremamente importante para mim. Criei expectativas, viajei milhas e milhas. Considerei a oportunidade de aguçar todos os meus sentidos, ver e vivenciar algo que ainda hoje não sei descrever direito o que imaginava ser. A expectativa, seja ela positiva ou não, cega e decepciona. Tive que ressignificar aquele momento, encontrar o feijão bom naquela situação aparentemente lamentável.

Foi nessa argumentação interna que me dei conta de que até aquele momento, em muitas circunstâncias, eu havia atirado no que considerava certo e seguro, e atingido alvos que estavam muito além do que eu conseguiria enxergar — nessas circunstâncias provoquei as viradas mais incríveis e bem-sucedidas da minha vida.

As portas fechadas do templo abriram novas portas. Aprendi tanta coisa naquela caminhada! Diante daquela realidade, me dei conta de que o mais poderoso dessa experiência foi o caminho percorrido, e nele o aprendizado extraído da vivência, da observação e da superação. Nem o mais experiente e intelectualmente favorecido mestre da Harvard University teria condições de potencializar tamanha transformação.

Eu havia ultrapassado os meus próprios limites e chegado ao pico da montanha. Mesmo com os desafios e as dificuldades, permaneci na caminhada, o que por si só é uma vitória.

Talvez você esteja se perguntando: mas, Leila, você queria tanto entrar no templo e não conseguiu. Pretende voltar ao Butão para fazer a mesma peregrinação?

Sinceramente, não sei. Não tenho isso em mente. Se surgisse uma oportunidade, eu faria tudo de novo. Mas tenho certeza de que teria outras experiências, perceberia outras novidades, teria muitos outros insights e novas histórias de encontros e desencontros. Pode até ser que eu consiga entrar no templo, só que... o mais importante é que eu continuo no jogo da vida para aprender, viver, experienciar.

Eu ouso sonhar! A vida é construída na concretização dos sonhos. É compensador sonhar, se empenhar para realizar e aprender. Já sonhei com muitas coisas, me empenhei para realizá-las, e muitas delas não aconteceram da forma que eu imaginava. Foram muito melhores do que eu pensei: o divórcio inesperado, a visita à Fundação Vicente Ferrer, a caça à aurora boreal, o relacionamento amoroso que ruiu antes de começar, a peregrinação ao Ninho do Tigre, a carreira intergaláctica que culminou no Leila Canta & Conta e até mesmo o desenvolvimento deste livro. Eu havia imaginado outras possibilidades, mas até aqui observo que está melhor do que havia planejado... e nem acabou ainda!

No Ninho do Tigre, diante da porta fechada e dos novos horizontes se abrindo, havia ainda o caminho de volta. Eu subi e agora tinha que descer. A bagagem era outra, mas o percurso de volta era o mesmo! Uauuuuu! E precisava de mais atenção para não escorregar. Um ditado popular diz que "para descer todo santo ajuda", mas isso não é totalmente verdade. Pelo menos não se aplica na prática. Em todo momento da vida é preciso manter a atenção, o foco, as antenas ligadas e bem conectadas. Os sinais estão por toda parte.

Durante boa parte da descida um cachorro me acompanhou, e era como se ele sentisse a natureza e os meus sentimentos. O seu silêncio "falava" intensamente comigo. Os lenços e faixas coloridos pendurados nas árvores dividiam minha atenção com aquele animal. Tudo me chamava para a consciência do momento, a importância de exercitar a fé, não a fé religiosa, mas a certeza íntima de que a informação está disponível em cada experiência, onde está o conhecimento do que precisamos para virar o jogo.

O que você viveu e percebeu em cada experiência faz parte de um reservatório único e exclusivo que não se encontra em nenhuma escola ou universidade. Esse pode ser o diferencial para a realização de um grande sonho — o seu sonho!

Apesar de não ter realizado cem por cento do meu objetivo inicial, fui surpreendida mil por cento em tudo. No retorno eu me sentia plena e feliz! Não ter entrado no templo já não era importante. Aliás, não ter entrado no Ninho do Tigre e não ter visto a aurora boreal, entre tantos outros acontecimentos, foram experiências que me fortaleceram. Aprendi no caminho e continuo no fascinante jogo da vida — eu dispenso o "game over". Fim de jogo é apenas uma questão de perspectiva. E as minhas lentes para o mundo e para a vida estão focadas em contínua vibração, busca e aprendizado.

Em tudo que realizo, inclusive o desenvolvimento deste livro, eu mergulho profundamente para extrair o melhor de mim. O que vai acontecer daqui para a frente nem eu mesma sei. Ninguém pode responder, mas eu permaneço atenta.

Se de tudo que você leu neste livro, puder destacar algo que jamais deve ser esquecido, guarde esta mensagem:

Em tudo que você se envolver, mergulhe profundamente e estabeleça conexões com o seu próprio eu. Se assim fizer, seja qual for o resultado, terá vivido mais uma excelente experiência.

Fiz a minha caminhada da ressignificação e estou para a vida, estou para aprender, estou para viver! Quando passei por determinadas situações em diferentes fases da vida, doeu muito. Tem dor que dói no corpo, na alma, nas emoções. O sofrimento muitas vezes é tão abusado que nem nos deixa reconhecer onde fere mais. Por outro lado, a autoconsciência traz cura, porque coloca de lado as expectativas e nos faz viver o melhor agora.

Isso me faz lembrar o refrão da música "Volta por cima", do compositor Paulo Vanzolini: "Levanta, sacode a poeira e dá a volta por cima." Mais forte ainda: para todo "game over" existe um "play again".

Quando eu colocar o ponto final neste capítulo, vou estar pronta para fluir na vida e virar muitos outros jogos... Desejo que o mesmo esteja acontecendo com você. Tenha consciência dos seus aprendizados. Do alto da minha instigante e bem vivida maturidade, despertei para a realidade de mais um poderoso insight:

Na vida mais vale o caminho que a chegada! Siga sempre caminhando e virando quantos jogos forem necessários. Parar jamais. Prossiga sempre... a realização do seu sonho pode estar apenas um passo à frente.

20

Para virar o jogo, é preciso...

CHEGOU O SEU MOMENTO! Você tem nas mãos as rédeas para iniciar um novo começo. O que precisa ser transformado na sua vida? Durante a leitura deste livro você teve insights poderosos, mas talvez tenha deixado de lado alguns pensamentos porque fez os próprios pré-julgamentos. E, pelo fato de olhar apenas sob a sua perspectiva, não permitiu que determinadas ideias florescessem. Por que isso? O que está faltando?

Antes de sentar para escrever este último capítulo, eu voltava de um compromisso e assisti a uma cena inusitada e inspiradora! Um homem vestindo calça social preta, camisa branca, avental escuro, daqueles que cobrem o tórax e seguem até abaixo do joelho. Nas mãos, um balde de gelo prateado cheio de garrafinhas de água. De longe dava para perceber o contraste do calor escaldante com a baixa temperatura daquele recipiente.

Ele usava um megafone que fazia sua voz ser ouvida de longe: "Olha a água geladinha." Aquele personagem inusitado estava vendendo água em um cruzamento, mas se apresentava com um traje apropriado para um restaurante de alto nível.

Sua aparência alinhada e a forma de se dirigir às pessoas chamaram a minha atenção. Fiquei ainda mais intrigada com a ousadia e competência ao dar uma roupagem completamente diferente a uma atividade corriqueira, muitas vezes até marginalizada. E tem mais! Quem parava naquele cruzamento era tratado com alto nível de cordialidade e presteza, mesmo que não comprasse o produto do rapaz.

Aquele homem assumiu a originalidade do seu próprio eu e mostrou que ridículo é fazer o que todos fazem. Ele pode não ter consciência disso, mas certamente descobriu uma forma singular de garantir o seu sustento e decidiu tirar proveito disso. A leitura que fiz daquela cena é que ali estava um homem inteligente, ousado, transparente e seguro. Vi nele um grande potencial para virar o jogo. Alguns podem até achar que é um excesso de entusiasmo da minha parte, mas você já pensou e colocou em prática algo que pudesse realmente fazer a diferença na sua vida e na vida das pessoas ao seu redor, mesmo que essa atitude fosse considerada de pouca importância?

Em determinado momento deste livro falei sobre três deuses da Índia: Brahma, Vishnu e Shiva. São eles os deuses da criação, da manutenção e da destruição. Acredite ou não nesses deuses — isso é o que menos importa —, vale considerar a mensagem que é propagada por meio deles. Existem momentos na vida em que é necessário provocar mudanças antes que elas cheguem e nos desestabilizem. Mas, além da mudança, é importante avaliar o que precisamos manter e o que deve ser destruído.

Somos protagonistas da nossa própria história. Podemos conduzi-la da forma que desejarmos, e, quando realizamos uma autoanálise consciente e sincera, daquelas de rasgar o coração e a alma, assumindo o nosso próprio eu, aí sim fica muito mais fácil virar o jogo.

Volto a perguntar: qual é a virada de jogo necessária na sua vida hoje? Registre essa informação, encare a sua realidade e provoque a guinada necessária na sua vida. Se não for agora, pode ser tarde demais.

Descobri que para virar o jogo é preciso despertar três pontos de poder em nós mesmos:

1. INTELIGÊNCIA POSITIVA

A inteligência positiva é a percepção de cada pessoa, que pode levar a lugares muito além do que se pode imaginar. O termo é mais conhecido como psicologia positiva, que significa buscar o lado positivo nas situações — encontrar o feijão bom. Certamente você aprendeu a escolher feijão com a sua mãe. Já comentei aqui que encaro a prática de escolher feijão como uma sabedoria intuitiva, que pode ser usada como parâmetro na vida. Pois eu sou perita na escolha dos feijões bons da vida e pratico isso 24 horas por dia.

As viradas de jogo mais poderosas acontecem justamente quando o foco e a atenção estão voltados para o que de melhor você acredita que merece. Tem sido assim na minha vida desde a grande guinada que me vi forçada a fazer com o fim de um casamento que imaginei ser o ideal. Sobrevivi àqueles tempos, outras ventanias vieram e hoje estou aqui para afirmar com todas as letras que você também é capaz.

Desenvolva a sua inteligência positiva. Ela dará condições para você se transformar em campeão em viradas de jogo muito bem-sucedidas.

2. CONSCIÊNCIA DE SI E DO TODO

Para ser campeão, não basta apenas treino e prática na positividade. É preciso ter equilíbrio, qualidade de vida, estar de bem consigo mesmo, ter harmonia, boas doses de autoconhecimento e autoconsciência. Esses elementos geram autoconfiança.

Quando uma pessoa entra em um jogo sem conhecer e acreditar em si mesma, as chances de surpreender positivamente são mínimas. Ela mesma não exercita a sua capacidade de virar o jogo.

Uma amiga, paulistana enlouquecida, certo dia saiu de casa em um péssimo momento. Ela estava de mal com a vida, consigo mesma e com o mundo. Quando entrou no carro, irritada, não tinha consciência do nível de alteração de suas emoções. Jogou a bolsa sobre o banco do passageiro, deu a partida e seguiu alheia aos acontecimentos à sua volta. Estava inteiramente centrada no próprio umbigo, nas suas lamúrias. Quem em sã consciência, em uma cidade como São Paulo, deixa a bolsa no banco do passageiro? Isso é um ímã para uma abordagem mal-intencionada.

Logo no segundo semáforo, ao aguardar a luz verde para prosseguir, uma moto parou perto do carro. O rapaz que estava na garupa quebrou o vidro do passageiro e pegou a bolsa com todos os pertences da minha amiga. Instintivamente, ela gritou, esbravejou, engatou a primeira e saiu em perseguição aos motoqueiros. O seu objetivo era passar com o carro por cima dos dois. Por sorte eles sumiram.

Para registrar um boletim de ocorrência, ela foi à delegacia. Estava descontrolada, agressiva, revoltada, a ponto de não ter real consciência do que se passava. Um policial pacientemente iniciou o questionário para relacionar tudo o que tinha sido roubado:

— Preciso que a senhora fique calma e tente se lembrar de todos os objetos roubados. Pode começar. O que tinha na bolsa?

— RG — respondeu ela, brava.

— E o que mais?

— Dois cheques.

— E o que mais? — questionou o policial.

— Dois cartões de crédito.

— E o que mais, senhora?

— Carteira de habilitação

— E o que mais?

Em determinado momento, aquela mulher raivosa, que respondia grosseiramente a cada "o que mais", começou a chorar de forma compulsiva, feito uma criança insegura que precisa de proteção e cuidado.

— Meus três batons. É! Eles levaram os meus batons, que faziam uma mistura linda... Eu demorei um ano para encontrar a combinação certa — desabafou a minha amiga, chorando de soluçar.

Diante daquela cena cômica, o policial explicou:

— Ah! Senhora. Isso eu não posso colocar aqui, não.

Diante dessa informação, o estado emocional da minha amiga sofreu outra alteração brusca. Ela berrou:

— Vai colocar os batons, sim! Os meus batons! Levaram os meus batons! Eu quero os meus batons!

Cá para nós, como ela poderia virar o jogo naquela situação? A consciência de si mesmo e do que acontece ao redor é primordial para virar o jogo. Minha amiga poderia ter evitado todo esse incidente se, antes de sair de casa descompensada e irritada com o mundo, tentasse se conscientizar do seu estado. Com as emoções afloradas, antes de uma decisão ou em situações de confronto, o ideal é parar, respirar fundo algumas vezes e se colocar inteiro no momento presente. Isso é ter consciência de si.

Quando exercitamos a autoconsciência, as chances de sermos imprudentes são menores. Para virar o jogo, é preciso se colocar no próprio eixo. Autocontrole, equilíbrio, autodisciplina e autoconhecimento são competências ligadas à consciência. Para virar o jogo, é preciso ser flexível para fluir, fazer as escolhas corretas e dar o xeque-mate para conquistar e realizar seus sonhos, propósitos, objetivos.

3. CONCENTRE A ATENÇÃO NO ÊXITO DAS SUAS AÇÕES

Cada vitória conquistada na vida deve ser celebrada de forma especial. À medida que você tem êxito na realização dos seus projetos, por mais simples que sejam, a confiança vai fortalecendo sua atuação. Faça do desafio a sua energia. O "não" já faz parte da regra. A exceção é embarcar em busca do SIM, como uma estimulante aventura. Coloque-se como um desbravador de territórios e a superação de metas será "apenas" consequência.

A minha busca para ver a aurora boreal é um bom exemplo. Enquanto estou "perdendo", continuo no jogo. Quando ganho, é "game over". O que também é muito bom, mas é o fim do jogo. Enquanto não ganho, a busca continua fazendo sentido. Eu continuo no jogo, e isso é saber virar o jogo. Muito diferente de jogar a toalha, desistir e não aprender nada com a experiência.

Para virar o jogo, é necessário se manter preparado, alargar a visão, enxergar sob diferentes perspectivas, não subestimar o que já sabe e ser persistente para continuar adiante, sem se melindrar com as circunstâncias.

Reclamar que a aurora boreal não apareceu, considerar que fiz um mau investimento, dar por encerrada a busca sem levar nenhum aprendizado seria o mesmo que "jogar a toalha". O incômodo deve nos provocar para seguirmos em busca do equilíbrio, do estável. Mas quando chegamos a esse patamar é importante perceber um novo incômodo para continuar no jogo.

A busca é como mudar de fase no videogame. E quando chega a última fase... Uauuuu! É hora de buscar um novo jogo. Pode até surgir uma saudade, mas é preciso seguir em frente. Olhos no futuro, abertura para novas experiências, novos recomeços, como se tudo não fosse o bastante. Enquanto estamos vivos estamos no jogo e temos que aprender a virar o jogo para mudar de fase. Virar o jogo é viver com plenitude cada fase. Assim é a vida, e assim acontecem as viradas de jogo mais poderosas!

"Play again"!

Este livro foi composto na tipologia Cantoria MT Std,
em corpo 11/15, e impresso em papel off-white
no Sistema Cameron da Divisão Gráfica
da Distribuidora Record.